espíritos
entre nós

JAMES VAN PRAAGH

espíritos entre nós

SEXTANTE

Título original: *Ghosts Among Us*

Publicado em acordo com Harper Collins Publishers.

tradução: Ana Ban

preparo de originais: Regina da Veiga Pereira

revisão: Ana Lucia Machado, Cristhiane Ruiz e Sheila Til

projeto gráfico e diagramação: Valéria Teixeira

adaptação da capa: Miriam Lerner

design da capa: www.levanfisherdesign.com

imagem da capa: Imtek Imagineering/ Masterfile/ Otherimages

pré-impressão: ô de casa

impressão e acabamento: Cromosete Gráfica e Editora Ltda.

CIP-BRASIL. CATALOGAÇÃO-NA-FONTE
SINDICATO NACIONAL DOS EDITORES DE LIVROS, RJ

V297e Van Praagh, James
Espíritos entre nós / James Van Praagh [tradução de Ana Ban]. – Rio de Janeiro: Sextante, 2009.

Tradução de: Ghosts among us
ISBN 978-85-7542-458-2

1. Van Praagh, James. 2. Espiritismo. I. Título.

CDD 133.91
09-0425 CDU 133.7

GMT Editores Ltda.
Rua Voluntários da Pátria, 45 – Gr. 1.404 – Botafogo
22270-000 – Rio de Janeiro – RJ
Tel.: (21) 2286-9944 – Fax: (21) 2286-9244
E-mail: atendimento@esextante.com.br
www.sextante.com.br

Sumário

Introdução

Você está lendo este livro porque tem muita curiosidade sobre os espíritos, a comunicação com eles ou a vida após a morte. O interesse por esses assuntos é enorme nos dias de hoje. Um número cada vez maior de pessoas deseja ter conhecimentos aprofundados sobre o tema. Acredito que a sociedade evoluiu espiritualmente, a ponto de abandonar noções pré-concebidas e de abrir a mente para entender a verdade sobre o mundo que chama de espiritual.

Quando o meu primeiro livro, *Conversando com os espíritos*, chegou ao topo da lista dos mais vendidos do jornal *New York Times*, em 1997, foi considerado um verdadeiro fenômeno editorial. Sua modesta tiragem de 6 mil exemplares subiu rapidamente para 600 mil nos dois meses seguintes. Atribuo o início desse sucesso à minha participação no programa de entrevistas *Larry King Live,* do canal CNN, no dia 13 de dezembro de 1997. Foi a primeira vez que um médium apareceu como convidado no programa de Larry e que mensagens vindas dos mortos foram transmitidas para uma audiência internacional. As linhas telefônicas ficaram congestionadas enquanto eu estava no ar, e as pessoas continuaram ligando dias depois da transmissão do programa. Isso fez com que os produtores me convidassem a voltar duas semanas depois e que eu fosse chamado para dar entrevistas em todos os principais programas de TV e rádio dos Estados Unidos.

Era claro que eu tinha acertado um ponto sensível. A todos os lugares aonde ia, as pessoas queriam saber se seus parentes falecidos estavam ao seu redor, o que eles estavam fazendo e se eu via pessoas mortas o tempo todo. Muitos me abordavam para compartilhar suas próprias experiências de comunicação com espíritos. Era como se o livro tivesse dado às pessoas o direito de falar sobre um assunto até então considerado tabu. Da noite para o dia, conversar com os mortos virou o tema da moda. Médiuns começaram a pipocar por todos os lados, outros livros foram escritos, produziram-se mais programas de televisão e mais filmes foram rodados para retratar o mundo dos médiuns.

O mesmo ocorre atualmente em relação aos espíritos.

É impossível ignorar que eles se tornaram parte da cultura de massa. Uma infinidade de programas de TV sobre o assunto ganha espaço nas transmissões do mundo todo. As atividades em torno dos espíritos se multiplicam por toda parte, mas nossos amigos do além são espertos o suficiente para confundir qualquer aspirante desavisado que se aventure sem conhecimento de causa em seu mundo invisível.

Quando eu estava desenvolvendo o programa *The Ghost Whisperer*, em 2004, senti a responsabilidade de retratar o mundo dos espíritos da maneira mais precisa possível, com o objetivo de informar e educar. Depois de receber 600 e-mails perguntando se tudo em *The Ghost Whisperer* era verdade, achei que tinha a obrigação de esclarecer as complexidades e também os aspectos simples do lado espiritual da vida. Ao escrever este livro, espero transmitir a você, leitor, uma nova compreensão das forças invisíveis que, apesar de consideradas mortas, continuam tendo papel importante na sua vida. Quero que você seja capaz de distinguir a verdade da ficção, os fatos reais, dos exageros.

Nos últimos 25 anos, escutei e testemunhei os deslocamentos de milhares e milhares de espíritos que existem em lugares inimagináveis. Essas experiências me tornaram altamente sensível às complexidades da existência humana e às conseqüências duradouras da angústia mental e emocional.

A ciência é boa e útil, mas não há nada melhor do que obter informações em primeira mão vindas de um espírito. Quando a compreensão e as palavras nos chegam diretamente dos espíritos que nos assombram, tudo atinge um novo patamar de entendimento. Muitos perguntam onde fica o mundo dos espíritos. Será que eles estão sempre ao nosso redor? Será que vêem tudo? O meu desejo aqui é fornecer informações e exemplos de como compartilhamos o nosso espaço com os espíritos e mostrar que eles fazem parte de nossas vidas. São informações disponíveis para todos, e não exclusividade de um grupo privilegiado.

Na minha infância, eu sabia que era um menino diferente dos outros. Desde bebê, eu enxergava espíritos. Ignoro totalmente a razão pela qual eu dispunha desse portal único para o outro lado. À medida que fui crescendo, descobri que ninguém mais via o que eu via, e que precisava lidar sozinho com aquele segredo. Não foi nada fácil para um menininho que queria ser igual aos outros. Logo me dei conta de que havia uma disparidade entre o que eu via e o que me diziam sobre o mundo invisível. Percebi que as crenças das pessoas em relação aos espíritos e à vida após a morte eram bem assustadoras. Levei algum tempo para separar meus sentimentos daquilo que os espíritos ao meu redor sentiam. Assim como as pessoas, alguns espíritos eram assustadores e outros, bem simpáticos. Mas, de um modo geral, os que entraram na minha vida a transformaram de modo bastante positivo.

Para começar, por que existem espíritos? Todos assombram os vivos? Existem espíritos bons e outros maus? E o que podemos fazer com toda essa informação?

A jornada para além deste plano é de uma beleza e criatividade incríveis. Apenas aqueles que têm medo escolhem ficar para trás e se apegar à atmosfera terrena. Esses espíritos presos à Terra são como aqueles descritos em histórias de assombração e retratados em filmes de terror. No entanto, a maioria dos espíritos não é aterrorizante. Quanto mais conhecimento tivermos, mais poderemos nos proteger dos espíritos presos à Terra que querem se intrometer no nosso ambiente físico. Eles podem exercer uma influência negativa sobre nós, fazer com que tomemos atitudes indesejadas e nos manter presos em um mundo de medo e desgraça. Por outro lado, há espíritos capazes de nos guiar na direção da verdade e da realização de nossos sonhos, que nos incentivam e exercem uma influência muito positiva na nossa vida. É possível tomar consciência da energia dos espíritos se compreendermos nossa própria energia. É possível pressentir a presença deles usando nossa mente intuitiva, e sintonizar a força dos que estão ao nosso redor para obter uma perspectiva adequada em relação ao nosso lugar no mundo.

Use este livro como um guia. Há nele diversos exemplos sobre como os espíritos influenciaram minha vida e a de outras pessoas. Ele apresenta técnicas e diversas maneiras de entrar em contato com eles.

Mas, antes de dar o primeiro passo, olhe ao seu redor, para o mundo que você conhece. Quando terminar de ler este livro, esse mundo nunca mais parecerá o mesmo.

um
INFÂNCIA CHEIA DE ESPÍRITOS

"Eu vejo pessoas mortas." Estas quatro palavras do filme *O sexto sentido* estarão associadas para sempre a alguém capaz de enxergar espíritos e se comunicar com eles. O lançamento desse filme de tanto sucesso, em 1999, provocou um movimento significativo. Um grande número de pessoas me procura para descrever suas incríveis experiências com aparições de espíritos. Sinto-me extremamente grato por ter sido capaz de orientá-las a respeito da comunicação com a vida após a morte.

Para começar nossa jornada de descobertas, quero antes de tudo assegurar a todos que a morte não existe. A morte está ligada apenas ao fim do corpo físico. Digo isso com total convicção, porque desde os 2 anos tenho me comunicado com os "mortos". Espíritos caminham entre nós, nos influenciando com seu amor, nos orientando com sua sabedoria e nos protegendo do perigo.

O amor de um avô

Nunca me esquecerei da primeira vez em que me dei conta de que existiam outros seres de um mundo diferente. Eu era bem pequeno e estava no berço quando ouvi o som de risadas de adultos vindo de outro cômodo. Pensei que fossem meus pais e chorei para chamar a atenção deles. Minha mãe entrou no quarto, me pegou no colo, me ninou por algum tempo e me deixou sozinho de novo. A partir daí, noite após noite, eu ficava acordado ouvindo o som das risadas.

Depois de algum tempo, comecei a perceber que havia luzinhas brilhantes dançando no meu quarto e formando um desenho na parede e em torno do meu berço. Essas luzes me fascinavam. Vi a sombra de um homem de pé no canto do quarto, seus olhos azuis brilhando na escuridão. Havia uma luz em torno dele que parecia vir do seu interior. Senti o amor que emanava de sua presença e me acalmei. Ao se aproximar do meu berço, o homem sorriu. Não havia nada a temer, e ele me parecia familiar. Não disse nada, mas captei seus pensamentos. Esse espírito passou a me visitar de vez em quando e a me enviar pensamentos telepáticos de pôneis pintados trotando ao redor de um anel de formas coloridas. Seus pensamentos chegavam em forma de imagens, e eu sentia muito amor e luz vindo dele. À medida que fui crescendo, ele deixou de me visitar.

Na época em que entrei no jardim-de-infância, eu passava freqüentemente os fins de semana na casa de minha avó, com quem eu tinha uma forte ligação afetiva. Em uma dessas visitas, vimos juntos um álbum de fotos de família. Ao ver a foto de um homem de olhos azuis brilhantes, perguntei quem era.

– É seu avô – respondeu vovó. – Ele morreu antes de você nascer. Ele veio da Inglaterra e foi trabalhar no rodeio, com pôneis e cavalos.

– Eu conheço esse homem, vovó. Ele me visitava quando eu era bebê e me contava histórias sobre os cavalos.

Minha avó sorriu. Percebi que ela não acreditava em mim, mas acrescentou:

– Ele adorava contar histórias sobre caubóis e índios.

Anos mais tarde, quando comecei meu trabalho como médium, ao terminar uma sessão, ouvi um espírito dizer, do canto da sala:

– *Você é um bom menino, James. Estou orgulhoso de você!*

Aquele tom carinhoso reavivou a lembrança do homem de olhos azuis brilhantes. Eu sabia que era meu avô. Fiquei feliz ao pensar que ele ainda estava por perto e que me protegia.

A sensibilidade de uma criança

As visitas dos espíritos se tornaram uma parte especial da minha vida. Ao contrário do menino do filme *O sexto sentido*, nunca tive medo de vê-los ou ouvi-los, porque eles apareciam para mim como esferas de luz. Eu achava tão natural que pensava que todo mundo podia vê-los.

Eu era uma criança sensível e tímida. Falava com muito pouca gente além da minha mãe e dos meus irmãos. Tive uma infância relativamente normal, a não ser pelo fato de que via espíritos. Morava em uma casa pequena na região de Bayside, Queens, em Nova York. Fui superando a timidez e me tornando mais falante e extrovertido. Mas minha sensibilidade era muito aguçada em relação às pessoas ao meu redor, pois eu era capaz de prever suas ações. Conseguia também saber se alguém falava a verdade e era digno de confiança ou se era falso e mentiroso.

Ninguém sabia que eu era capaz de ver espíritos, o que me fazia sentir estranho. Tinha consciência de que era diferente dos outros e de que era preciso aceitar esse fato.

As únicas pessoas em quem eu realmente confiava eram os espíritos. Eles sempre se mostravam amistosos e interessados no meu bem. Eu esperava ansiosamente para me comunicar com esses seres porque eram os únicos que pareciam saber quem eu era e que me davam segurança. Só minha mãe tinha conhecimento da minha vida secreta com os espíritos. Temendo pelo meu bem-estar, ela me alertava dizendo:

– Jamie, nunca conte a ninguém a respeito do que vê. As pessoas não vão entender. Você é diferente das outras crianças.

Acontece que minha mãe também era diferente. Tinha habilidades psíquicas extremamente aguçadas e o dom da premonição. Às vezes eu a via conversando com sua mãe e seu pai, já mortos, pois percebia a silhueta dos dois ao pé da cama.

Espíritos assombram a igreja

Assim como muitas crianças católicas do meu bairro, estudei no Colégio Sagrado Coração. Minha mãe e eu íamos à missa todo domingo. Adorávamos sentar no mezanino, de onde podíamos ver as pessoas nos bancos e o padre no altar. A única coisa que realmente me assustava era o enorme crucifixo com Jesus pregado nele. Eu me perguntava por que as pessoas representavam Deus sofrendo daquele jeito. Admito que nem sempre compreendia o que estava acontecendo, e também não me interessava muito. Eu gostava dos cânticos e do cheiro de incenso. Geralmente ficava meio adormecido e hipnotizado enquanto o padre recitava orações em latim. Eu via muitos espíritos circulando por entre as fileiras de bancos da igreja. Alguns se ajoelhavam em frente às estátuas, outros iam até o altar, mas a maioria ficava perto dos fiéis. Via pais e mães falecidos ao lado dos filhos, via muitos espíritos de crianças correndo pela igreja, mexendo nos cabelos e nas roupas das crianças vivas. Algumas percebiam a presença dos espíritos e brincavam com eles. Mas havia aquelas que ficavam apavoradas e soltavam gritos, fazendo a mãe ou o pai repreendê-las. Para mim, tudo aquilo parecia uma brincadeira. Certos espíritos se ajoelhavam em frente às imagens de Maria, de Jesus ou de um santo. Eu perguntava à minha mãe:

– Por que eles precisam vir à igreja e rezar para as estátuas? Será que não vêem que Maria e Jesus de verdade estão no céu?

Minha mãe respondia:

– Algumas pessoas têm hábitos antigos que as fazem sentir-se bem.

De modo geral, as igrejas são vórtices de energia espiritual, independentemente da crença que professam. As pessoas se reúnem para louvar, contemplar e rezar em nome de Deus. Essas ações energizam o mundo espiritual e os espíritos aparecem para nos influenciar com seu amor e sua orientação. Não é à toa que muitos consideram as igrejas refúgios seguros.

Tenho uma lembrança extremamente nítida de um domingo específico. O padre no altar estava erguendo a hóstia e repetindo uma prece em latim. No momento em que todos responderam, vi vários espíritos iluminados, vestidos com mantos brancos, atravessar a parede do tabernáculo. Eu sabia que eram espíritos especiais vindos do céu, porque sentia um clima de adoração e reverência. Muito emocionado, perguntei em voz alta:

– Mamãe, olha aqueles homens de branco no altar. Eles são anjos?

Todos me olharam espantados, e minha mãe fez sinal para que eu me calasse. Mas sempre me lembrarei da bela visão daqueles mensageiros celestiais. Ela acabou se revelando uma das muitas fontes de inspiração que tive ao longo dessa maravilhosa jornada.

A dama de rosa

Um ano depois, eu estava na missa dominical, esperando o momento da comunhão, quando senti uma dor de estômago tão intensa que tive que me deitar no chão entre o assento e o genuflexório. Eu queria que alguém me ajudasse, mas como tinha muito medo de ser repreendido pelas freiras, permaneci onde estava. De repente, olhei para cima, e uma mulher bonita, de vestido rosa, cabelos ruivos e olhos azuis inclinou-se sobre mim. Olhei em seus olhos, e pude ouvi-la claramente por sobre o som da missa.

– *Não ligue para o que os outros pensam, James. Você nunca deve ter vergonha de ser quem é. Assim como hoje eu o estou ajudando, um dia você ajudará também os outros, trazendo-lhes paz. Ame a si mesmo e tudo ficará bem.*

Despertei de meu estado de transe e consegui me sentar. A essa altura, o padre já estava recitando as preces finais. Olhei em volta. A mulher de rosa havia desaparecido. Observei as outras crianças, que desviaram o olhar de mim. Perguntei-me o que elas estariam pensando, mas fiquei calado, ainda meio tonto e confuso por causa da aparição. Só anos mais tarde compreendi sua mensagem. Foi uma das muitas que recebi falando sobre minha missão de levar paz, esperança e amor a outras pessoas.

Um resgate espiritual

Por ser um jovem tímido e sensível e por não gostar de esportes, eu não tinha muitos amigos. Procurava ser simpático e amigável, mas evitava os encrenqueiros.

Mike Marks era o valentão da classe na quinta série. Sentava-se no fundo da sala e passava o tempo todo fazendo o que pudesse para prejudicar a concentração da turma. Ele se irritava facilmente e parecia ter uma maldade intrínseca, difícil de controlar. Nosso professor de história, o Sr. Reed, era um homem calmo, que dava aulas vivas e interessantes. Um dia, Mike abusou da paciência do Sr. Reed. O professor chamou-o para a frente do grupo e bateu nele várias vezes com a vareta que usava para fazer os apontamentos na lousa. Então, vi o espírito. Como muitas de minhas visões, ele tinha um halo luminoso a seu redor. Era um homem alto, moreno, de cabelos castanhos. Ficou em pé à direita de Mike e assistiu com tristeza à surra que o garoto levava. A certa altura, levou as mãos ao rosto para evitar ver aquela cena terrível. Percebi que era o espírito do pai de Mike e que ele queria pedir desculpas ao filho. Eu gostaria de ter podido transmitir a mensagem a Mike, mas na ocasião foi impossível. Senti pena do garoto, imaginando que o coitado devia apanhar do pai e que por isso agia daquele jeito. Talvez suas explosões fossem um grito por socorro.

Um dia, a caminho da escola, Mike perguntou se podia me acompanhar. Concordei, achando que seria legal andar ao lado do valentão da turma. Ele sugeriu que fôssemos até a ponte que passava sobre os trilhos do trem. Quando protestei, dizendo que ficava longe, pegou uma pedra e mirou na minha cabeça. Apavorado, não tive alternativa senão obedecer.

Caminhei com Mike durante 45 minutos até chegar à ponte, que ficava em um local deserto. Mike me mandou sentar e tirar os tênis. Protestei mais uma vez, e ele voltou a me ameaçar. Desamarrei os sapatos rapidamente e entreguei-os a Mike. Segurando meus tênis por cima da via férrea, ele disse:

– Diga que eu sou o maior ou vou soltá-los. Tentei fugir, mas Mike me segurou e me jogou no chão. Minhas mãos e meu rosto bateram no solo com força. Implorei, chorando, que me deixasse partir, mas Mike ameaçou me atirar da ponte. Eu estava morto de medo, pois ele era suficientemente louco para me jogar dali.

– Me larga! – gritei. Mas Mike apenas riu.

De repente, o espírito que havia estado ao lado de Mike na sala de aula apareceu de novo, parecendo ainda mais brilhante. O espírito me enviou seus pensamentos.

– *Eu sou Michael, o pai do Mike.*

– Seu pai está falando comigo – disse a Mike.

– Você ficou louco! – gritou Mike.

– Seu pai está aqui conosco. Está dizendo que não foi culpa sua. Ele tinha bebido muito quando sofreu o acidente de carro.

Mike me olhou fixamente. Continuei:

– Ele está dizendo que não foi ao seu jogo da Liga Mirim porque morreu na noite anterior.

– Não é verdade – insistiu Mike. – Minha mãe disse que ele nos abandonou.

O pai de Mike contou que sua esposa mentira porque se sentia culpada demais por ter um caso extraconjugal. Ela havia pedido o divórcio ao pai de Mike no dia em que ele morreu.

– Não se culpe – prossegui, transmitindo a mensagem do pai. – Não foi sua culpa. Seu pai está dizendo que fica muito orgulhoso de você e sente muito por você não saber a verdadeira história da morte dele.

Mike jogou os tênis em mim e saiu correndo. O espírito me agradeceu por ter contado a verdade ao seu filho. Senti pena do espírito, mas agradeci por ele ter salvado a minha vida.

Mike nunca mais falou comigo. Mais tarde, minha mãe me contou que o pai de Mike havia morrido em um desastre de carro. Um ano depois do incidente, Mike desapareceu do bairro. Tempos depois, fiquei sabendo que ele tinha ido para uma escola militar no interior do estado de Nova York.

Recomeço

À medida que ficava mais velho, fui perdendo o interesse pelos espíritos. Passei um ano em um seminário, até perceber que a Igreja Católica não tinha as respostas que eu procurava. Os problemas da adolescência me afastaram das preocupações com o outro lado. Eu era muito intuitivo, mas de certa forma fechei o portal para minhas visões. A essa altura, eu já tinha entrado para a faculdade, onde estudava Rádio e TV. Queria seguir carreira como redator de comédias para a TV.

Depois de formado, me mudei para Los Angeles, onde arranjei um monte de empregos esquisitos na indústria do cinema. Um dia, Carol, uma amiga do trabalho, me convidou para acompanhá-la a uma sessão espírita. Hesitei, sem saber se queria recomeçar essa história de espíritos, mas fui, movido pela curiosidade. Lá conheci Brian E. Hurst, um médium talentoso. No meio da sessão, ele virou-se para mim e falou:

– Os espíritos estão dizendo que você tem um grande poder mediúnico e um dia fará este trabalho também.

Pensei imediatamente: "De jeito nenhum! Não sou doido. Vou ser roteirista de TV, e não alguém que fala com os mortos." Mas meu interesse foi despertado e continuei freqüentando as sessões semanais de Brian.

Acabei voltando a ver espíritos, como acontecia na infância. Então comecei a fazer minhas próprias sessões individuais, primeiro com amigos, em seguida com pessoas encaminhadas a mim. Depois de um ano, as sessões me ocuparam integralmente, e tive que fazer uma escolha. Não preciso dizer que larguei meu emprego no show business e me dediquei inteiramente ao trabalho com os espíritos. Isso foi há quase 25 anos, e minha vida tem sido uma verdadeira montanha-russa desde então.

Depois de ter viajado pelo mundo todo, posso dizer, sem nenhuma dúvida, que os espíritos estão à nossa volta em toda parte.

dois

Deixando o corpo

As pessoas costumam me fazer as mesmas perguntas várias vezes. Como é morrer? Existe mesmo vida após a morte? Se existe, para onde vamos? E como é esse lugar?

A morte é o grande desconhecido. No decorrer da vida, nossas crenças religiosas e culturais nos fazem desenvolver tantas idéias pré-concebidas sobre a morte que, quando o fim se aproxima, não temos um entendimento verdadeiro sobre esse grande acontecimento. Ainda que a experiência de morte de cada pessoa seja específica, posso dizer, com base em minha comunicação com os espíritos, que há uma incrível semelhança nessa transição.

- Independentemente da forma de morte – homicídio, doença, acidente, suicídio ou velhice –, existe um fator constante que se repete. Ninguém sente dor ao morrer. Nunca me canso de repetir isso para as pessoas. Na verdade, é a ausência de dor que confunde muitos dos que acabaram de morrer, porque eles não percebem que se foram.
- Ninguém fica sozinho na hora da morte. Quando saímos do corpo, nossos entes queridos que já faleceram vêm nos receber. Talvez tenham se passado vários anos desde que os

vimos pela última vez, mas os laços afetivos que nos uniam na Terra continuam muito presentes do outro lado.

- Na hora da morte, muitos têm a sensação de estarem cercados por uma luz brilhante e de serem puxados através de um túnel. As pessoas descrevem essa luz como sendo Deus ou um ser que tudo sabe. Algumas sentem que a luz é pura paz, alegria e amor. Em vez da luz, alguns espíritos falam de gloriosas cores celestiais, diferentes de tudo o que já viram.
- Há uma imediata sensação de não existirem mais os limites do corpo físico. A vida anterior simplesmente desaparece, e é substituída pela consciência de uma "renovação" de vida.
- Finalmente, quando estamos às portas da morte, parece haver uma imediata alteração de tempo-espaço. Os espíritos habitam uma dimensão atemporal, etérea e transparente. O tempo na Terra continua a passar, mas para o espírito tudo acontece no *agora*.

Ausência de dor

Por que escapamos da dor no momento final? Será que nosso espírito sente que o fim se aproxima e é capaz de desligar os receptores de dor pouco antes de morrermos? Aparentemente o Universo nos equipou com uma espécie de válvula para desligar a dor no cérebro, e ela começa a funcionar quando estamos a ponto de abandonar nosso corpo. Tudo se apaga, e a pessoa perde a consciência e a memória. Quando pergunto aos espíritos sobre a violência de um acidente, sobre o choque de uma bala entrando no corpo ou sobre a dor de um ataque cardíaco, eles freqüentemente respondem que não se lembram do impacto. Em vez disso, recordam-se imediatamente de seus entes queridos. De um jeito ou de outro, cada um deles diz: "Eu gostaria que (meu marido, minha esposa, minha mãe, pai, filha, irmã, irmão, filho) soubesse que ainda estou vivo."

Foi o caso de um jovem espírito do sexo masculino que apareceu em um dos meus workshops em Nova York.

– Aqui está um rapaz de 17 ou 18 anos que se identifica como Sam e que diz ter estado em um acidente de automóvel – eu falei.

Uma mulher chamada Debbie levantou-se da cadeira, gritando.

– Ai, meu Deus, é Sam. É o meu Sam!

– Ele está pedindo que você não chore. Ele está vivo e bem.

Debbie soluçou, concordando com um aceno de cabeça.

– Ele quer que você e toda a platéia saibam que, apesar de seu corpo ter sido arremessado através da janela dianteira, ele não se lembra disso e não sentiu dor alguma. Depois do acidente, ele viu o próprio corpo estendido perto de uma árvore, e só então percebeu o que havia acontecido. Ele diz que está com Alfred. Alfred o ajudou.

Debbie continuou chorando.

– Alfred é meu pai. Eu sabia que ele estaria lá para receber meu filho.

– Ele está me dizendo que apagou antes do impacto e que depois viu o avô. Achou que estava sonhando, mas o avô lhe disse que ele sofrera um acidente. Seu pai pediu a Sam que olhasse o próprio corpo.

Então me aconteceu algo estranho.

– Sam está me mostrando seu corpo. Estou vendo sua perna esquerda em uma posição estranha. Você sabe se a perna dele quebrou ou foi arrancada do corpo?

– Sei, sim – respondeu Debbie. – A perna foi quebrada em sete lugares diferentes.

– Seu filho quer que eu lhe diga que quando olhou para o próprio corpo, sentiu que aquele não era mais ele. Não estava conectado ao corpo. Sentiu como se estivesse fora, e como se não precisasse mais do corpo. Ele também sabe que você colocou pedras no local do acidente para celebrar a vida dele. Ele adorou esse gesto, e quer que você saiba disso.

Debbie parecia chocada.

– Fiz isso esta semana. Posso perguntar uma coisa? Sam pode me ouvir?

– Sim, ele consegue ouvir todos os seus pensamentos o tempo todo. Ele sabe quando você está pensando nele.

A sessão continuou com mais detalhes sobre o falecimento de Sam. Então, o pai de Debbie falou.

– Alfred está dizendo que você não precisa se preocupar. Ele está cuidando de tudo.

Debbie parecia extremamente agradecida e satisfeita.

Experiência de quase morte

Aqueles que tocaram a morte e voltaram para contar o que aconteceu também descrevem experiências muito semelhantes. Apesar de serem originários de diferentes contextos, de professarem crenças religiosas diversas, e de variarem em idade, todos relatam versões da mesma história.

- Uma sensação de flutuar sobre o próprio corpo e de ver a área em torno.
- Sensações agradáveis de calma e paz envolvente.
- Atravessar um túnel ou uma passagem estreita de luz.
- Ser saudado por parentes falecidos.
- Encontros com um anjo, com seres de luz ou com figuras religiosas.
- Fazer uma revisão da própria vida.
- Alcançar uma fronteira ou barreira que não pode ser atravessada.

- Finalmente, a sensação de estar se movendo rapidamente de volta ao próprio corpo, freqüentemente com grande relutância.

Apesar de a situação de cada pessoa ser diferente, todas concordam que suas vidas foram profundamente transformadas pela experiência de quase morte. A maioria passa a entender seu propósito na vida, e muitas compartilham percepções profundas sobre as lições que aprenderam. Na verdade, todas afirmam categoricamente que a experiência de quase morte as fez viver de uma forma totalmente diversa.

Em um de meus workshops, uma mulher me disse que sempre teve medo de tentar coisas novas. Ao ter um ataque cardíaco aos 60 anos, passou pelo túnel em direção à luz e foi recebida por seu sobrinho, que havia cometido suicídio porque tinha esquizofrenia.

– Ele parecia tão calmo e feliz. Fazia muito tempo que eu não o via em paz.

O sobrinho lhe disse que ela deveria tentar viver com mais espontaneidade e em seguida desapareceu.

– Aquela experiência me transformou. Se meu sobrinho, que sofreu tanto, veio me dizer para aproveitar a vida em sua plenitude, decidi que faria exatamente isso. Esse também foi o modo de lhe manifestar minha gratidão. Desde então, tenho viajado mais e hospedo amigos em minha casa, duas coisas que eu tinha medo de fazer. Minha vida é mais agradável porque vi a morte e decidi que queria viver.

Minha experiência de quase morte

Depois de ouvir tantas experiências de quase morte, comecei a ficar particularmente curioso. Queria saber se os relatos sobre o pós-vida eram semelhantes aos que eu havia recebido do mundo espiritual. Em 10 de dezembro de 2006, tive minha resposta.

Estávamos em plena época de festas de fim de ano. Enquanto as pessoas se agitavam febrilmente nos shoppings da cidade, eu estava sentado no deque de minha casa, observando a vista panorâmica do azul brilhante do oceano Pacífico diante de mim. Eu me sentia abençoado por estar vivo. O toque estridente do telefone interrompeu minhas divagações. Era meu empresário, Andrew Lear, chamando-me para um encontro em Los Angeles com o diretor de uma estação de rádio, para conversar sobre um programa próprio. Não tive alternativa senão sair correndo, lutando contra o trânsito pesado da hora de almoço. Quando finalmente cheguei ao meu destino, estava morrendo de fome. Parei no primeiro shopping, entrei na primeira lanchonete que encontrei e engoli um sanduíche.

A reunião foi bem, apesar de eu estar sentindo um certo mal-estar no estômago. Entusiasmado, concordei em criar um piloto para um programa ao vivo que demonstraria como eu falava com os mortos. A reunião estava acabando quando recebi um telefonema de minha amiga Victoria Recano me convidando para jantar. Aceitei, feliz.

A refeição foi mais do que agradável. Ambos estávamos com vontade de comer carne, por isso pedimos pratos idênticos, acompanhados por um delicioso vinho tinto. Depois do jantar, resolvi passar a noite em meu apartamento na cidade.

Acordei de madrugada com uma dor intensa no estômago e quase não tive tempo de chegar ao banheiro. Nas horas seguintes, entrei e saí do banheiro até ficar cansado demais para me mexer. Às 6 horas, decidi voltar para casa, achando que me sentiria melhor em minha própria cama. Com toda a força que pude reunir, peguei novamente a estrada. Achei que meu pesadelo acabaria assim que alcançasse a segurança de meu lar. Mas, na metade do caminho, o tráfego na rodovia ficou completamente parado. Várias horas e uma dezena de paradas em banheiros depois, saí da rodovia e finalmente cheguei ao meu destino. Ao falar com minha médica em Los Angeles, ela diagnosticou uma intoxicação alimentar provavelmente causada pelo sanduíche. O mal-estar foi aumentando e o desespero, também. A médica receitou um remédio e recomendou que eu tomasse bastante líquido.

Por volta das 23 horas, mais fraco do que nunca, decidi ir ao hospital. Consegui me levantar do sofá e caminhar até o banheiro. A última coisa de que me lembro é da pia.

De repente, senti como se estivesse flutuando fora de meu corpo. Eu me sentia conectado ao corpo, mas não dentro dele. Em um primeiro momento, vi a parte de cima da minha cabeça, e em seguida meu corpo no chão do banheiro. Fui invadido por um fluxo de emoções e pensamentos e achei que estava morrendo. A sensação mais vívida foi de um intenso bem-estar. Não havia mais dor nem vômito. Antes que eu me desse conta, uma luz brilhante e dourada pareceu preencher o espaço ao meu redor. Ouvi alguém me dizendo:

– *Morrer é fácil. Viver é difícil.*

Imediatamente percebi a presença de minha prima Pat, já falecida. Ela fora minha prima preferida na infância, e costumávamos passar horas falando sobre vida após a morte e sobre reencarnação. De certo modo, ela foi a primeira pessoa com quem conversei sobre assuntos espirituais e sobre minha descrença no catolicismo. Pat morreu aos 19 anos, me deixando arrasado. Eu nunca a vira como espírito até aquele momento. Ela me olhou fixamente com olhos que pareciam sorrir. Usava uma blusa verde-azulada e parecia muito bonita e jovem.

– *Não se preocupe, tudo acabará logo* – Pat sussurrou.

– *Quer dizer acabar de verdade?* – Perguntei a ela, mentalmente.

Pat desapareceu, e percebi a presença de meu pai. Ele estava em pé ao longe, usando um suéter marrom. Também parecia muito mais jovem. De repente, ouvi um som cortando o ar e a voz de Brian, meu querido amigo.

– James, acorde. Você está bem?

Abri os olhos e olhei em volta. Sentia-me calmo, mas sem palavras para me expressar. Só me ocorreu dizer:

– Morrer é fácil. Viver é difícil.

Brian ligou para a emergência, que veio depressa. Quando chegamos ao pronto-socorro, eu alternara entre o estado consciente e inconsciente várias vezes. Informaram que eu tinha perdido mais de dois litros de fluidos e que precisava de uma transfusão de sangue, pois estava com uma hemorragia interna.

Fiquei profundamente feliz por estar vivo, porque tinha consciência de todo o trabalho ainda a ser feito. Mas a experiência de quase morte sedimentou ainda mais minha crença na comunicação espiritual. Passar por isso me mostrou que eu não tinha mais nada a temer.

Coma

Freqüentemente me perguntam se as pessoas em coma são capazes de nos escutar. Quando um indivíduo parece não responder fisicamente ou quando se encontra em estado vegetativo, talvez não esteja completamente inconsciente em relação ao que acontece à sua volta. Acredito que existam vários graus de coma, mas a consciência sempre sabe o que está acontecendo.

Há muitos níveis de consciência: (1) consciência desperta; (2) consciência automática, que mantém nosso sangue fluindo, nossas células se dividindo e assim por diante; e (3) consciência superior, que ocorre nos momentos de relaxamento profundo, meditação, prece, sonhos e devaneios. Acredito que minha comunicação com os espíritos faça parte da consciência superior. A consciência não se limita ao corpo; faz parte da mente, e esta, por sua vez, faz parte da alma. No momento da morte, a alma, que é eterna e contém experiências de inúmeras vidas, segue.

Meu pai passou suas duas últimas semanas de vida em coma, na cama de um hospital, ligado a máquinas, respiradores e sondas intravenosas. Era uma situação que ele jamais teria escolhido. Em sua última noite, os médicos telefonaram avisando que papai estava morrendo. Chegamos ao hospital e entramos no seu quarto um a um para nos despedir. Durante as duas semanas finais, eu havia percebido a presença dos pais dele e da minha mãe, todos já mortos, ao lado dele. Naquela última noite, minha mãe parecia bastante impaciente e ficava dizendo:

– *Façam logo as suas despedidas. Queremos que ele venha conosco!*

Meu irmão e minhas irmãs estavam em pé perto de mim, observando meu pai em seus momentos finais. Eu me aproximei da cama, me inclinei e sussurrei em seu ouvido:

– É hora de o senhor ir para casa. Vá em direção à luz brilhante que está vendo.

Ouvi quando ele me respondeu, cerca de meio metro acima da cama, como se estivesse assistindo a tudo aquilo. Eu sabia que meu pai devia estar completamente consciente do que acontecia, pois já sabia que era hora de partir. Ele falou comigo por telepatia, em um tom muito claro e firme, e me pediu para atender seu último desejo.

– *Eu só não quero que meus filhos briguem depois que eu tiver ido embora.*

Dei um beijo em sua cabeça e prometi:

– Não vamos brigar, papai. Tenha uma boa viagem para casa.

Cinco minutos depois de nosso adeus, papai morreu. Os médicos pareceram surpresos, pois acreditavam que ele viveria mais um dia ou dois. Virei-me para o médico e disse:

– Ele queria partir. A família inteira estava esperando por ele.

O médico sorriu, deu meia-volta e saiu do quarto.

Espíritos vão ao seu próprio enterro

Depois que os mortos abandonam o corpo físico e percebem que não estão mais conectados a ele, passam para a membrana que existe entre a Terra e a dimensão mais próxima. Nesse ponto, decidem se querem permanecer perto da Terra como espíritos terrenos ou se querem fazer a travessia para a luz. Durante essa brecha de oportunidade, os espíritos com freqüência vão a seu próprio enterro para ver os preparativos, quem aparece e assim por diante. Já ouvi muitos comentários esquisitos de espíritos quando estão no próprio funeral: *Por que é que colocaram esse vestido em mim? Quem escolheu essas flores para o meu caixão? Eu queria estar em um caixão mais bonito.* Ouvi com freqüência espíritos dizendo que não gostam de caixão aberto. Muitos causam distúrbios em seus próprios funerais, para que seus parentes "entendam a mensagem". E também há aqueles que não se importam com os detalhes do funeral e ficam muito surpresos ao presenciar toda a agitação ao redor do evento.

Quando meu pai morreu, meus irmãos e eu vasculhamos o sótão de sua casa em busca de fotos antigas para espalhar pelo local do velório. Ele deve ter ficado muito impressionado porque, quando eu estava conversando com um velho amigo dele depois do serviço fúnebre, senti uma corrente de ar frio atrás de mim. Era meu pai. Ele sussurrou no meu ouvido:

– *Onde achou todas essas fotos velhas? Eu nem me lembrava delas.* – Depois, acrescentou: – *Obrigado por ter colocado minha dentadura. Fiquei com uma boa aparência.*

Também é comum os espíritos irem à própria autópsia. Não mais atrelados ao corpo físico, eles querem ver como morreram e o que causou sua morte. Para nós, essas idéias podem parecer mórbidas, porque ainda estamos mentalmente conectados ao nosso corpo. Os mortos vêem o próprio corpo como um casaco velho e puído do qual não precisam mais. Inúmeras vezes vi um espírito dizer para alguém que amava:

– *Por que você vai até a sepultura e fica olhando para ela? Eu não estou lá dentro.*

Minha prima Ruth, minha irmã Lynn, minha tia Cassie e eu conversamos durante anos sobre a vida depois da morte, porque o meu trabalho as deixava fascinadas. Freqüentemente compartilhávamos recordações de nossos parentes mortos. Venho de uma grande família irlandesa pelo lado materno e passei grande parte da infância indo a funerais. Ver corpos em caixões era bastante comum para mim. Tia Cassie ficava obcecada com parentes que já haviam falecido, sempre lembrando do aniversário de falecimento, guardando os obituários e os sermões dos funerais colados em um caderno. Ela costumava me dizer:

– Se existe vida após a morte, eu com certeza vou dar sustos enormes em vocês!

Tia Cassie faleceu com quase 90 anos. Sentou-se na poltrona da sala de estar e morreu. Todos os sobrinhos e sobrinhas foram ao seu enterro. Foi um velório como nunca se viu igual. Conversando com minha irmã Lynn e com minha prima Ruth, brinquei:

– Sabem, tia Cassie vai ter que aparecer por aqui.

De repente, nós três sentimos um calafrio e nos entreolhamos, atônitos. Vi tia Cassie de pé ao lado de minha mãe. Usava um vestido branco estampado de verde, apontava para nós e ria. Parecia espantosamente jovem e bastante diferente do corpo rígido dentro do caixão. Ouvi quando me perguntou:

– *Você acha que eu ia perder meu próprio enterro?*

Compartilhei minha visão com Lynn e Ruth. Minha prima comentou:

– Você é tão esquisito!

Demos risadas e ficamos felizes porque tia Cassie finalmente estava de volta ao lar, com a família de que tanto sentia saudade e com a qual queria estar.

O que acontece com os espíritos depois do enterro? Isso depende de diversos fatores. A morte foi conseqüência de uma doença prolongada? A pessoa tinha fortes crenças religiosas? Sentia medo de morrer? Morreu em um acidente ou foi assassinada? Que idade tinha? Como a consciência não acaba com a morte, levamos nossa mentalidade e nossos pensamentos para o outro lado. Assim como acontece durante a vida, quando passamos para outras dimensões continuamos a criar experiências por meio de nossos pensamentos.

Entrando na luz

Os que acabaram de morrer com freqüência são atraídos para uma luz branca e brilhante. O que é exatamente essa luz e por que a maioria a percebe no momento da morte? Quando todas as cores se juntam, elas formam o branco. Acredito que essa luz branca está em um extremo do espectro dimensional e funde todas as cores do espectro luminoso.

Quando eu era criança, vi essa luz branca e achei que era a mão de Deus. Foi uma sensação de alegria e de amor incondicional. As pessoas que tiveram experiências de quase morte descrevem uma sensação semelhante. Elas são atraídas para a luz brilhante e sentem uma paz plena enquanto avançam em sua direção. Assim como eu, alguns consideram que a luz é Deus, enquanto outros, que não têm uma crença definida, a chamam de "lar".

Não preciso dizer que a luz branca é de fato uma passagem ou um portal, e que quando ela é atravessada, entramos nas dimensões espirituais e chegamos em casa – ao lar. Nunca ouvi um espírito dizer que desejava voltar à Terra e viver de novo. Os espíritos com os quais me comunico geralmente adoram estar na luz e não desejariam que as coisas fossem diferentes. Seus maiores arrependimentos estão ligados ao fato de não terem percebido a verdade sobre a vida enquanto estavam na Terra. Comentam freqüentemente que, se soubessem, teriam vivido de modo muito diferente.

Trovão Azul

Acho fascinante ouvir diversos espíritos discorrendo sobre suas experiências no outro lado. Eles parecem experimentar uma sensação enorme de liberdade. Quando percebem que faleceram, imediatamente procuram seus entes queridos para dizer-lhes que continuam vivos e que não há motivo para ficarem tristes. Além disso, entram em um mundo perfeitamente adequado ao seu nível de compreensão espiritual.

Há alguns anos, uma amiga querida pediu para eu atender Candy, uma jovem que estava a ponto de ter um colapso nervoso.

– Você é a última alternativa para ela, James.

Concordei em vê-la.

Quando chegou para nosso encontro, eu a conduzi até minha sala de estar. Candy tinha cabelos compridos e loiros que emolduravam as belas maçãs salientes de seu rosto e seus olhos verdes. Como parecia ansiosa, ofereci-lhe um copo d'água.

– Respire fundo e relaxe. Você está segura aqui.

Quando ela se acalmou, expliquei como o processo da comunicação com os espíritos funciona e iniciei uma breve meditação para remover qualquer nervosismo. No meio da meditação, vi dois homens em pé ao lado dela, um mais jovem, outro mais velho.

– Há um senhor mais velho atrás de você. Sinto que é uma figura paterna. Ele está mencionando alguma coisa sobre ser da

Escócia, e tem um leve sotaque escocês. Está com um cachorro labrador chamado Sharkey.

Candy pareceu chocada e olhou para mim, tentando desesperadamente entender como eu podia saber essas coisas.

Começou então a chorar.

– Sim... é meu pai, Alex. Ele era escocês e tinha muito orgulho de sua ascendência. Sharkey era o cachorro da família, que ele amava mais do que a nós, seus filhos.

– Ele está pedindo para você dizer a sua mãe que ele a ama.

Candy respondeu com os olhos cheios de lágrimas:

– Mamãe sente muita saudade de papai.

Mesmo com essa conexão incrível, eu ainda sentia que faltava algo.

– Há um jovem junto do seu pai que fica repetindo alguma coisa sobre Trovão Azul. Seu pai quer que você saiba que ele ajudou esse rapaz a fazer a travessia.

Candy ficou perplexa e chorou mais ainda.

– O rapaz está dizendo que se chama David – continuei. – Está vestido de branco e me mostrando um casamento em algum lugar tropical, como o Havaí.

Então compreendi. Olhei para Candy e disse:

– Ele é seu noivo, não é?

– É, sim.

– Eu sinto que David lamenta muito por ter exagerado com o Trovão Azul. Isso faz sentido para você?

Candy concordou com a cabeça.

Então, com minha visão mental, enxerguei um carro com o número "64" rodopiando e em chamas.

Candy ficou chocada com essa revelação.

– David era piloto de corrida profissional. Nós íamos nos casar no Havaí e depois dar a volta ao mundo durante a lua-de-mel. David insistiu em participar de uma última corrida antes da viagem. Ele foi bem até a última volta, quando perdeu o controle do carro, o Trovão Azul, número 64, que explodiu. David morreu queimado.

Fiquei perplexo. Permanecemos os dois em silêncio para absorver aquilo tudo.

Então continuei minha comunicação com David.

– Ele está me dizendo que julho é um mês especial.

– Nós íamos nos casar em julho.

– Você ainda está fazendo planos? Ele está me dizendo que vocês tinham ido ao Havaí para escolher um lugar especial.

– Sim, estou pensando em voltar lá para jogar as cinzas.

De repente, eu me transfigurei. David assumiu o controle de meus pensamentos e visões.

– Ele está me mostrando que não se dera conta do acidente. Lembra-se de ter olhado para a arquibancada e visto você e, perto de você, seu pai já falecido. Depois ele se lembra de estar fora do carro, mas não sabe como saiu dele. Seu pai lhe disse que ele tinha sofrido um acidente grave, mas David não pôde acreditar. Achava que era tudo um pesadelo. Dirigiu-se até os destroços para ver e depois foi até você e tentou dizer que estava bem. Mas você não podia ouvi-lo. Depois de um tempo, seu pai o pegou pelo ombro. Nesse momento, ele soube que tudo ia ficar bem. Visualizou um belo campo verde cercado de montanhas e viu os avós, Lib e Burt, que ele não encontrava desde a infância, indo recebê-lo junto com outras pessoas em quem não pensava havia anos. Um amigo, Tom, também foi ao seu encontro. Tom havia morrido em uma espécie de insurreição militar. Ele agora está me levando para um lago incrível, cercado de árvores tropicais e lindas flores.

Candy absorveu a imagem inteira.

– David diz que o céu é muito mais do que ele jamais imaginou que seria. Tudo parece tão natural. Ele ficou chocado porque nunca pensou na vida após a morte, mas está muito feliz por ela existir.

Candy me disse:

– Esse lugar que você estava descrevendo parece com o lugar onde íamos nos casar.

– Ele estará lá esperando por você.

David continuou a falar.

– Ele diz que acha que teve que partir naquele momento para que vários eventos possam ocorrer no futuro. Ele também está me dizendo que sabe da existência de outros lugares para visitar no mundo espiritual. As coisas lá não são exatamente como o céu que imaginamos. Parece que há esferas diferentes onde pessoas que pensam de modo semelhante residem. Ele se sente muito animado para explorar o céu. Afirma que está tudo bem. Ele acha que é difícil para você compreender, mas quer que você saiba que ele está dizendo a verdade. Um dia você irá segurar a mão dele de novo e os dois ficarão juntos para sempre.

Lições do mundo espiritual

Ao longo dos anos, reuni muita informação a partir de minha comunicação com os espíritos que fizeram a passagem rumo à luz. Aqui estão suas lições mais profundas a respeito da vida após a morte.

- Ninguém morre sozinho. Não importa o que aconteça, há sempre amigos, parentes e outros espíritos no outro lado para acolhê-lo. Com freqüência há espíritos de muitas vidas passadas esperando para encontrá-lo também. Sua alma reconhece todos.
- No mundo espiritual, não existe tempo da maneira como o conhecemos. O passado e o futuro não existem. Todo tempo é "agora".

- Quando chegamos ao outro lado, fazemos uma revisão daquela existência. Testemunhamos e experimentamos de maneira ativa momentos importantes da vida recente, e nos conscientizamos das lições que precisamos aprender. Somos o único juiz de nós mesmos. Cada um de nós é capaz de saber se aprendeu ou não a lição. Ninguém mais nos julgará. Se prejudicamos alguém na Terra, vamos sentir a mesma dor. Só nós mesmos podemos nos perdoar pela dor que causamos a outra alma e à nossa.
- Vemos claramente a importância de nossa vida e as conseqüências dela sobre outras pessoas.
- Adquire-se uma consciência de si mesmo em um nível espiritual e compreende-se a vastidão do Universo.
- A consciência se expande. Compreende-se como as vidas anteriores influenciaram na avaliação da vida que se acabou de ter.
- Percebemos que o mundo espiritual é composto de milhares de níveis, e que os espíritos gravitam para eles, dependendo do seu grau de evolução espiritual.
- Percebe-se que a Lei Universal rege tudo e que semelhante atrai semelhante.
- Descobrimos que há níveis mais baixos e escuros para almas não desenvolvidas que ainda não aprenderam a apreciar sua própria vida e a dos outros.
- Percebe-se que a vida nunca termina. Ela continua para sempre, sob formas variadas e em diferentes dimensões.

Direi apenas que sair do corpo ao morrer é tão natural quanto nascer. É como mudar-se para um novo lugar, e é preciso algum tempo até se acostumar, mas você será o mesmo quando chegar lá. Tendo isso em mente, talvez você fique curioso para saber o que significa ser um espírito, como será sua aparência, como vai se sentir e onde irá parar depois que abandonar seu corpo.

três

Curso básico sobre espíritos

De certo modo, todos somos espíritos, mas espíritos vivendo em corpos físicos. Quando nosso trabalho espiritual está terminado, o corpo físico é desligado e o corpo espiritual sai. Então, a energia sólida e densa do corpo físico começa a se deteriorar. O corpo de energia leve e transparente, que é uma réplica exata do corpo físico, emerge e parte na direção dos mundos espirituais. Não há enganos, nem mortes antes da hora. E também não há mortes que poderiam ter sido evitadas. Por quê? Simplesmente porque não existe morte. Existe apenas a transição de uma existência física para outra, não física. Quando estamos do outro lado, passamos a nos chamar espíritos. Os espíritos ou estão "na luz" ou estão "presos à Terra". A maioria dos espíritos com que me comunico está na luz. A maior parte das histórias sobre espíritos assustadores fala de espíritos presos à Terra.

Espíritos querem se comunicar conosco, mas a maioria quer nos ajudar, e não assustar. Apesar disso, espíritos presos à Terra podem nos assustar. Como ainda não alcançaram a luz, ficam presos entre a dimensão terrena e o reino espiritual. Eles geralmente estão cheios de medo, zangados ou solitários e se comunicam passando esse tipo de emoção.

Antes de prosseguir, quero dar minha definição de espírito. Espíritos são tipos de energia. Eles aparecem de forma bastante semelhante a seus corpos físicos. Quando vejo um espírito, sempre percebo uma forma humana completa, com cabelo, traços faciais e roupas. Na maioria das vezes, os espíritos parecem jovens, saudáveis e no auge da vida.

Porém, em alguns casos, os espíritos podem aparecer exatamente do jeito que estavam no momento da morte. Quando eles se materializam nessas condições, a morte pode ter sido súbita e inesperada, e talvez eles não saibam que já não se encontram mais no mundo físico.

A temperatura realmente se altera quando há espíritos por perto. Na maioria das vezes, o ar fica mais frio. Normalmente, sinto uma corrente de ar frio na nuca. Os espíritos podem ser percebidos de foram clarividente – eu os vejo – e clariaudiente – eu os ouço.

Além disso, as leis físicas do Universo não limitam os espíritos. Desse modo, o tempo e a gravidade não os afetam. Sem a energia densa do corpo físico para limitá-los, os corpos espirituais vibram em uma intensidade que não podemos mensurar.

Espíritos são capazes de viajar de um lugar para outro de forma instantânea, porque vivem em uma atmosfera criada inteiramente por seus próprios pensamentos e atitudes. Assim, ao imaginar qualquer situação ou lugar, imediatamente estarão lá. Pode ser uma casa, um campo florido, outro planeta ou o apartamento onde moravam.

Além disso, espíritos são extremamente sensíveis e, por isso, têm a capacidade de captar com clareza cristalina nossos pensamentos e o que sentimos, como se tivessem algum tipo de radar especial. Ao pensar em um ente querido, você pode atrair o espírito dele.

Um pai encontra o caminho de volta para casa

Freqüentemente eu me comunico com o mundo espiritual diante de platéias com centenas e, às vezes, milhares de pessoas. Isso me dá a oportunidade de estabelecer contatos diversos e é muitas vezes uma experiência maravilhosa e inspiradora. Quando começa uma sessão, os espíritos fazem fila atrás de mim e em torno de seus entes queridos na platéia, tentando ao máximo passar uma mensagem para maridos, esposas, parentes ou amigos. Muitas vezes eles descrevem como é morrer, porque desejam que as pessoas compreendam que a morte é um processo natural, e não o fim da vida. Às vezes, a pessoa leva algum tempo para perceber que está morta e que assumiu a forma de espírito.

Há muitos anos, eu estava no Kansas fazendo uma dessas sessões. Um espírito imediatamente chamou minha atenção, e eu fiz a conexão com uma jovem na platéia chamada Annie. Era a filha do espírito. Fui até Annie e pedi que ela ficasse de pé.

– Seu pai está aqui.

– É mesmo? – ela reagiu com ceticismo.

– Ele está me dizendo que o corpo dele demorou alguns dias para ser encontrado.

– Ai, meu Deus, é ele.

– Ele quer que você saiba que a última coisa de que ele se lembra é de ter ido checar o estoque. Você entende o que estou falando?

– Sim. Ele era gerente de um armazém da Seward.

– E o nome dele é George?

– É – respondeu, animada.

George estava muito feliz por finalmente ter conseguido fazer contato com alguém.

– Ele está dizendo que queria ter certeza de que o inventário fosse concluído antes do prazo final para a declaração de impostos.

– Isso, ele era responsável pela contagem de estoque. Trabalhava horas e horas para preparar os relatórios.

– Eu o vejo subindo uma escada. Ele se inclina para pegar suprimentos que estão no fundo da prateleira. Tenta alcançá-los, mas não consegue. Ele diz que perdeu o equilíbrio e caiu da escada. Essa é a última coisa de que ele se lembra.

Perguntei a George:

– *Quando você percebeu que era um espírito?*

Ele respondeu por meio de seus pensamentos.

– *Eu não acreditei que era de verdade. Foi muito estranho. Na verdade, não me lembro de ter caído, mas sei que não consegui me segurar. Depois me lembro de estar na escada, olhando para baixo, para o meu corpo no chão de cimento. Pensei que estava sonhando. Tive uma grande sensação de bem-estar, como se tivesse dormido uma semana inteira. Vi meu corpo no chão e não consegui sentir nada por aquela pessoa. Tentei pedir ajuda, mas não havia ninguém além de mim no armazém. Então, comecei a entrar em pânico. Se eu não me levantasse, poderia morrer. Depois, tudo ficou meio nebuloso.*

Olhei para Annie.

– Você sabe do que ele está falando?

Annie ficou silenciosa, parecendo hipnotizada por minhas palavras.

George continuou a me enviar seus pensamentos e eu os transmiti da melhor maneira que pude a sua filha.

– Em pé, na frente do seu pai, há um velho companheiro de exército. Ele está dizendo que os dois serviram juntos no Vietnã. Seu pai diz que o nome dele é Marty. Você conhece essa pessoa?

Annie concordou com a cabeça.

– Ele diz que não via Marty havia 40 anos. Diz que Marty estava lá para ajudá-lo a achar seu caminho de volta para casa. Seu pai não entendia por que ele estava tentando ajudá-lo. Ele diz que Marty lembrou que, quando os dois estavam no Vietnã, ele impediu Marty de pisar em uma mina terrestre. Seu pai está dizendo que o salvou e que agora ele estava lá para salvá-lo.

Percebi que as pessoas na platéia começavam a sentir uma conexão com George. Prossegui.

– Seu pai diz que viu imagens da selva, como se eles estivessem de volta no Vietnã. Está dizendo que foi muito estranho. Ele ainda não conseguia acreditar que estava morto, e Marty estava lá para ajudá-lo a entender isso.

Virei para Annie e sorri.

– Seu pai era meio teimoso, não era? Ele tinha que ver para crer.

Annie concordou com a cabeça. Continuei.

– Ele diz que pediu a Marty para levá-lo para ver você e sua mãe, Maggie, e que os dois chegaram imediatamente à sala de estar da sua casa. Ele conta que a sala estava toda revirada.

– Nós tínhamos chamado a polícia porque ele tinha desaparecido havia dois dias e não tínhamos notícias – Annie respondeu.

– Seu pai viu você e seu marido, Steve, tentando confortar sua mãe.

Annie validou isso para a platéia.

– Foi mesmo. Nós estávamos esperando receber notícias da polícia. De repente, a campainha tocou e dois policiais nos disseram que havia acontecido um acidente no armazém.

– Seu pai ficou muito confuso. Ele sabia que estava em pé ao seu lado, mas, por mais que tentasse dizer que se sentia bem, ninguém conseguia vê-lo ou senti-lo.

Perguntei a George se alguém mais além de Marty viera para levá-lo até a luz.

– Bem, eu estava meio confuso e, quando ouvi os policiais dizendo que eu estava morto, não soube o que fazer. Então, pedi ajuda e, de repente, comecei a enxergar através da parede da frente da minha casa. Meu irmão mais novo, Tommy, apareceu, como se

fosse um menino. Depois veio minha avó. Ela estava linda, jovem. Tommy me disse que era hora de ir para casa. Eu não sabia o que ele queria dizer com isso, porque achava que já estava em casa. Ele disse que nossa mãe chegaria logo. Então eu fui com Tommy e minha avó, e foi isso o que aconteceu.

Annie perguntou:

– Alguém mais, papai?

– Ele está me falando de... Clyde.

Eu não sabia se Annie ia rir ou chorar.

– Ah, Clyde... Clyde era o cachorro dele quando era criança.

A senhora na igreja

Algumas almas esperam por uma pessoa especial que virá buscá-las e levá-las para a luz. Outras voltam ao lugar em que morreram porque isso lhes traz conforto. Algumas ficam confusas e passam algum tempo seguindo a mesma rotina que tinham quando vivas, como você verá a seguir.

Peguei um avião até Nova York para ir ao casamento do meu primo. Ao entrar na igreja, notei uma senhora de idade ajoelhada no banco da última fila à esquerda. Ela parecia completamente alheia ao fato de que uma cerimônia de casamento estava para começar.

Eu me sentei em um dos bancos da frente e olhei para trás. A mulher na última fila havia partido. Procurei em torno, me perguntando para onde ela teria ido. O órgão começou a tocar e iniciou-se a cerimônia. De vez em quando, eu virava o pescoço para ver se a senhora tinha voltado. De repente, eu a vi sentada na última fila e, para meu espanto, vi um homem passar através dela para se sentar. Só então percebi que se tratava de um espírito.

Quando a cerimônia acabou, voltei ao fundo da igreja para ver se o espírito continuava lá. E, de fato, lá estava a mulher.

Dessa vez, percebi que ela usava um vestido e um suéter pretos, e que segurava um par de terços negros. Quando me ajoelhei, ela olhou para mim. Olhei-a fixamente e transmiti a mensagem de que era capaz de vê-la. Ela me respondeu:

– *Não se conversa dentro da igreja, meu jovem.*

Percebi que a mulher ainda não sabia que estava morta. Perguntei:

– *Há quanto tempo está aqui?*

Ela sussurrou mentalmente:

– *Venho para a missa das 7 horas toda manhã. Não perdi nenhuma ainda. Depois, fico aqui rezando o terço.*

– *Qual é seu nome?* – perguntei.

– *Shh... Hilda.* – Ela ficou calada por alguns minutos, depois retomou: – *O padre Pat não parece muito bem. Acho que talvez esteja doente.*

Hilda continuou rezando, e eu fiquei sentado ao seu lado algum tempo. Então ela desapareceu, eu me levantei e saí.

Durante a festa, mencionei o encontro a um dos meus parentes. Logo a informação começou a circular, e todos vieram me fazer perguntas sobre o espírito na igreja.

Um senhor idoso se aproximou e se apresentou.

– Meu nome é Ed. Eu era porteiro da igreja. Alguém me falou sobre a aparição. Todo mundo conhecia a Hilda. Ela ia à igreja toda manhã, vestida de preto.

– Você sabe quando ela morreu? – perguntei.

– Foi em março de 1970, uma semana depois da morte do padre Pat. Ela teve um ataque cardíaco lá no banco da igreja.

Eu me perguntava por que ela agia como se ainda estivesse viva. Tinha certeza de que o padre Pat a havia acompanhado ao mundo espiritual.

Meses depois do casamento, meu primo me enviou as fotos. Alguém havia tirado uma fotografia minha ajoelhado no fundo da igreja. Ao meu lado, havia um globo de luz brilhante. Só podia ser Hilda.

Acredito que Hilda amava tanto sua missa matutina diária que ficou confinada à dimensão terrena por causa disso. Quando uma alma como a de Hilda está fortemente presa à Terra devido a suas crenças e hábitos, pode levar algum tempo até que passe para a dimensão celestial. Com preces e outros meios, os vivos podem auxiliar aqueles que estão presos entre as dimensões a irem adiante. Era o que eu esperava que acontecesse com Hilda.

Morte por suicídio

Às vezes eu trago mensagens de almas de pessoas que se mataram. Sempre é difícil falar de suicídio. Quando escrevi meu primeiro livro, *Conversando com os espíritos*, expliquei que as pessoas que cometem suicídio às vezes ficam em uma existência parecida com um limbo. Infelizmente, alguns leitores acharam que eu estava me referindo ao limbo das crenças católicas, mas não foi isso o que eu quis dizer.

Quando uma pessoa comete suicídio, às vezes a alma sente culpa e angústia enormes, até compreender os efeitos de seu ato sobre os seres amados. Como o espírito se encontra em um estado mental altamente confuso, ele pode acabar ficando preso ao lugar em que teve sua última experiência de vida. Mas é importante sabermos que a maior parte das almas dos que se matam geralmente encontra seres espirituais cheios de compaixão que as ajudam a superar o desespero. Ainda assim, o suicídio tem conseqüências dolorosas para toda a família.

Um dia, decidi prestar uma homenagem a um grande amigo que havia falecido recentemente e estava enterrado em Forest Lawn. Enquanto eu caminhava de volta até meu carro, percebi que havia uma mulher sentada ao lado de uma sepultura, retirando folhas de cima do túmulo. À medida que me aproximei, nossos olhos se encontraram.

– Olá – disse eu.

Apontei para a foto de um soldado na lápide onde havia a inscrição NOSSO AMADO FILHO.

– Foi uma tragédia da guerra? – perguntei.

– Não – ela respondeu. – Foi uma tragédia da vida.

Eu sabia que ela precisava de consolo, por isso me sentei e conversei com a mulher, sem dizer-lhe o que eu fazia. Estava lá para ouvi-la.

– Meu nome é Janice. Este é meu filho Peter.

Em seguida, Janice me falou a respeito do filho.

Peter tivera tudo o que poderia querer na vida. Era um rapaz inteligente. Todos o adoravam e admiravam: seus pais, Janice e Mike, e os irmãos. Peter era brilhante nos estudos e um líder nato. Tinha acabado de entrar para o último ano do ensino médio, e foi aí que as coisas começaram a desandar. Ele se envolveu com uma garota chamada Stacey, de quem Janice e Mike não gostavam.

– Nós achávamos que ela era uma péssima influência para ele – observou a mãe.

As notas de Peter começaram a cair, e ele faltava às aulas com freqüência. Janice e Mike perceberam que os antigos amigos de Peter já não o visitavam mais.

– Quando ele passou a ficar na rua cada vez até mais tarde, começamos a desconfiar de algo. Mas também achamos que podia ser apenas uma fase – Janice prosseguiu.

No entanto, as desconfianças de Janice acabaram se confirmando. Susan, irmã de Peter, encontrou uma seringa no meio das roupas sujas dele. Jake e Susan também haviam notado mudanças no comportamento do irmão mais velho. Já não podiam contar com ele.

Janice tentou de diversas formas ajudar o filho. Peter reagia: "Agora vocês sabem que não sou o filho perfeito que gostariam que eu fosse." Janice me disse que essas palavras a feriam profundamente. Depois de esgotarem várias tentativas, os pais decidiram mandar o filho para a fazenda de um tio, onde ele pudesse trabalhar no campo durante o verão. Janice deu a Peter um ultimato, pois ela e Mike não iriam mais tolerar o comportamento desrespeitoso do filho:

– Disse que ou ele arrumava um emprego ou saía de casa.

Percebendo que não tinha alternativa, Peter foi para a fazenda, onde, passado um mês, pareceu ter retomado seu antigo eu. Por isso, ela e Mike ficaram desolados quando o tio telefonou dizendo que Peter tinha partido da fazenda sem avisar para onde ia.

Um mês depois, a polícia encontrou Peter em péssimo estado, morando com Stacey em uma casa de cômodos na periferia da cidade. Mais uma vez, Peter acusou a mãe: "É tudo culpa sua. Você não gosta de mim do jeito que eu sou."

Depois de várias passagens por clínicas de reabilitação, Peter voltou para seu vício em heroína. Só restava a Janice rezar. Sua fé era forte e ela acreditava na possibilidade de um milagre.

Então, algo extraordinário aconteceu. Peter terminou com Stacey e voltou para casa. Afirmou que não queria magoar mais a família e desejava amadurecer. A essa época, ele já havia se juntado aos Fuzileiros Navais. Janice e Mike ficaram felizes e orgulhosos do filho.

Depois de passar pelo treinamento básico, Peter foi enviado à Guerra do Iraque. Mostrou-se um bom soldado que sentia que tinha algo a provar, não apenas para si mesmo, mas para sua família.

Depois de três turnos de serviço no Iraque, Peter foi dispensado com honras. A família inteira tinha certeza de que ele havia se tornado um novo homem, um herói em todos os aspectos.

Porém, menos de um ano depois da dispensa, Peter voltou à

heroína. No Natal de 2004, Janice e Mike encontraram o filho no quarto, morto por overdose.

Procurei confortar Janice, dizendo o quanto sentia por sua perda tão trágica. Naquele momento, ouvi um som de choro atrás de mim. Olhei ao meu redor e vi um rapaz sentado, chorando.

– *Sou o Peter* – disse ele.

Percebi que ele estava sofrendo muito. Disse-me que não dormia havia muito tempo e que se sentia como se estivesse em um pesadelo. Pedi que me descrevesse o que via.

– *É muito escuro aqui, e as pessoas estão chorando.*

Então ele descreveu o que acontecera no momento da morte.

– Eu *acordei, mas não conseguia voltar para o meu corpo. Eu ouvia minha mãe chorar.*

Enviei a Peter o pensamento de que agora ele estava livre.

– *Eu me sinto aprisionado pelos meus próprios pensamentos, e isso é um inferno. Eu me sinto muito culpado por ter responsabilizado minha mãe por meus problemas. Agora vejo com clareza o quanto a magoei. Quero muito dizer para ela o quanto sinto.*

Decidi então falar para Janice a respeito de minhas habilidades. Ela chorou.

– Fiquei aqui sentada, esperando um sinal de que meu filho estava bem.

– Seu filho está sofrendo muito por causa da culpa que sente – disse a Janice. – Muitos foram ao seu encontro para o conduzir até o túnel de luz, mas ele se recusou a acompanhá-los. Você entende?

Janice enxugou as lágrimas.

– Seu filho sente que não merece ser feliz. Não conseguirá partir antes que saiba como lamenta não ter amado você do jeito que merecia. Disse que a culpava pelo rumo errado que sua vida tomou porque não queria assumir a responsabilidade.

Janice se lembrou de uma história da infância de Peter.

– Caiu uma tempestade repentina, e eu estava no jardim cuidando das plantas. Peter, que tinha 9 anos, gritou da varanda para eu entrar, mas eu ainda me demorei no jardim. É claro que, na manhã seguinte, eu estava com febre e resfriada. Peter cuidou de mim. Preparou o café da manhã e ficou ao meu lado como um pequeno enfermeiro. Chegou a ler para mim. Ele foi um ótimo filho que me amava muito.

Enquanto Janice contava sua história, pude ver os braços de Peter se enlaçando ao redor da mãe em um abraço. Ela sentiu a energia a sua volta. Olhou em direção aos céus e disse:

– Eu amo você, Peter. Você é meu filho e eu o perdôo! Só quero que você seja feliz!

Com essas palavras, a energia de Peter mudou. Ele pareceu mental e emocionalmente mais leve. Seus traços se tornaram mais nítidos e claros para mim. Ele me agradeceu e deixou uma mensagem final para a mãe.

– Ele quer que você saiba que ele sempre a amará.

Peter finalmente estava livre para partir, e foi-se em um instante. Janice também estava livre. Ela continuaria a sentir falta do filho e a lamentar sua perda, mas agora viveria mais em paz, sabendo que veria Peter novamente do outro lado.

Assim como Peter, há muitos espíritos confusos e perturbados com assuntos que deixaram pendentes na Terra. Felizmente, Peter teve a oportunidade de comunicar seus sentimentos para a mãe, através de mim. No entanto, alguns espíritos não são tão bem-sucedidos. Mesmo que saibam que estão mortos, às vezes têm medo de abandonar o ambiente que lhes é familiar, ou, assim como Hilda, continuam vivendo seus padrões de memória repetidamente, ligados à sua mentalidade terrena. Esses espíritos estão atolados em preocupações materiais e rotinas terrenas, e ficam aprisionados entre a Terra e o mundo espiritual. Eles se tornam o que chamamos de espíritos presos à Terra.

quatro

Mortos e vivos

Como já mencionei, quando um espírito decide ficar perto do plano terreno por alguma razão, ele se torna literalmente preso à Terra. Há diversos motivos pelos quais um espírito decide ficar ligado à Terra.

- A pessoa tem alguma espécie de assunto inacabado com alguém na Terra.
- A morte foi súbita e inesperada, como no caso de um acidente de carro ou um assassinato, e o falecido não sabe que morreu.
- A pessoa quer se assegurar de que seus últimos desejos estão sendo respeitados.
- A pessoa tem alguma crença religiosa que talvez a faça temer o que a espera, principalmente se essa crença estiver relacionada ao inferno e à condenação da alma.

Como os espíritos ligados à Terra permanecem em um estado mental e emocional muito vívido, seus sentimentos e pensamentos são extremamente poderosos. Um espírito ligado à Terra pode ser incansável na tentativa de conseguir o que deseja.

Imagine uma situação em sua vida em que algo se tornou obsessão. Um espírito preso à Terra pode ter essa mesma natureza obsessiva, só que multiplicada por cem. Quando a alma se dá conta de seus erros e extingue o desejo de seguir padrões de comportamento obsessivos, ela pode ir adiante.

Muitos espíritos já ficaram para trás porque tinham assuntos de família pendentes. Pode ser um marido que morreu sem contar à mulher que deixou uma apólice de seguro que lhe fará falta. O marido irá tentar contatá-la de todas as maneiras possíveis, por mais que isso demore, para que ela tome conhecimento da apólice de seguro. Ele não irá adiante até que a situação se resolva.

Intoxicados

Ao contrário da típica história de almas penadas, os espíritos presos à Terra não vagam sem rumo em terrenos desertos ou cemitérios. Ao contrário, eles se sentem altamente atraídos pela energia dos vivos e se movem em áreas onde a vida floresce. Utilizam essa força vital para sustentar seu próprio poder. Esses espíritos podem influenciar fortemente os vivos e fazer com que eles participem de atividades nas quais não se envolveriam normalmente.

Minha amiga Laura recentemente me contou sobre sua experiência com espíritos presos à Terra. Aconteceu em 1995, e ela havia acabado de se mudar para uma pequena casa em uma área de Los Angeles chamada Venice. Na década de 1960, Venice era habitada por traficantes de drogas e hippies. Muitos crimes violentos aconteceram por lá, assim como mortes ligadas a drogas.

– No instante em que nos mudamos, eu me senti perturbada – contou Laura. – Eu arrumava todo tipo de desculpa para sair de casa. Quando estava fora, sentia vontade de comprar cigarros, mas você sabe que eu não fumo. No entanto, a vontade de comprar cigarros era incontrolável.

– O que aconteceu? – perguntei.

– Bom, não comprei os cigarros. Depois de alguns meses, achei que tinha um espírito assombrando a casa. Fui a uma mulher com poderes psíquicos e ela me disse que havia duas pessoas na casa, abraçadas no chão do quarto menor, e que não queriam ir embora. Ela disse que essas pessoas tinham morrido ali de overdose e que eram esses espíritos que me mandavam comprar cigarro.

– Então, o que você fez?

– A mulher e eu concentramos nossos pensamentos para mandá-las embora. Levou horas até que partissem, mas finalmente conseguimos. Depois disso, nunca mais senti vontade de sair de casa e de comprar cigarros.

O marinheiro

Outro modo de uma pessoa ficar presa à Terra é através de uma morte traumática, como um assassinato, ou de uma morte inesperada, como um acidente aéreo. Nesse tipo de situação, a pessoa pode passar muito tempo sem perceber que está morta. Nesse estado de pós-morte, o espírito vive a ilusão de que a pessoa ainda está viva. Uma vez, participei de uma sessão espírita com Leslie Flynt, o médium mais testado do século XX, considerado o maior médium *físico* do mundo. Um médium físico é um tipo muito raro de médium, bem diferente daquele que trabalha com a parte mental. Médiuns mentais usam seus processos mentais, tais como ver, ouvir e sentir, para se conectar aos espíritos. Médiuns físicos fazem contato com os espíritos através do corpo físico. O espírito usa a energia do médium e se mostra em uma forma fisicamente visível, ou então se utiliza da voz do médium para falar. Esse último método é o que os espíritos usavam para se comunicar através de Leslie Flynt.

Eu estava com um grupo sentado em roda, quando o espírito de um jovem marinheiro inglês da Segunda Guerra Mundial veio se comunicar conosco. Ele relatou que tinha tomado parte em um bloqueio naval que tentava interceptar os submarinos alemães. Seu navio fora atingido e ele ficara no mar, segurando-se em uma rocha. Aquela pobre alma estava confusa. Ele achava que, se largasse a rocha, iria se afogar. Sua imagem mental era tão forte que ele se recusava a largar aquela pedra.

A luz de compaixão criada pela sessão espírita atraiu essa alma até nós. Na verdade, as pessoas do grupo faziam parte de um círculo de resgate que atuava regularmente. Leslie transmitiu ao jovem a informação de que ele já estava morto. Enquanto outros membros do grupo instruíam o marinheiro a pensar em sua falecida mãe, ela apareceu para ajudá-lo a ir até a luz. Quando o rapaz percebeu a verdade, sentiu-se pronto para seguir em frente.

Você deve estar se perguntando por que a mãe dele ou algum outro parente falecido ainda não havia ido ajudá-lo. A resposta é simples. O jovem estava tão obcecado naquela situação que acreditava com toda sinceridade que, enquanto ficasse segurando na rocha, não morreria. Ele se encontrava em um estado emocional tão intenso que, mesmo que a mãe estivesse sentada a seu lado, ele não a teria visto.

Espíritos presos à Terra com freqüência são almas perdidas e precisam de ajuda para sair do plano terreno e rumar em direção à luz superior. Às vezes eles precisam da ajuda dos vivos para fazer a travessia. É aí que a consciência e a sensibilidade entram em cena. Muitos de nós podemos ajudar essas almas perdidas a seguir em frente. Muitos anos atrás, eu apresentava um programa de televisão chamado *Beyond*, que significa "além", em inglês. Decidimos produzir um segmento sobre atividade paranormal e fomos a uma locação em Oklahoma City para filmar uma casa assombrada. Isso ocorreu na metade do verão, e me lembro que fazia muito calor. Quando cheguei ao hotel, fui recebido por Mary Ann Winkowski, uma caçadora de espíritos que ia participar do programa. Nunca me esquecerei da primeira impressão que ela me causou. Parecia uma típica dona-de-casa que estaria mais à vontade assando biscoitos do que caçando espíritos. Tinha um ótimo senso de humor e um jeito maravilhoso de rir de si mesma e do trabalho que fazia. Nem preciso dizer que Mary Ann e eu nos entrosamos imediatamente.

Naquela noite, durante o jantar, Mary Ann descreveu sua vida com detalhes.

– Eu tinha uns 5 anos quando percebi pela primeira vez que era diferente. Minha avó me pegou falando com meu avô falecido. "Você tem o dom", ela disse.

Mary Ann prosseguiu.

– Eu freqüentemente me comunicava com espíritos de crianças. Quando meus amigos vinham brincar, eles perguntavam: "Com quem você está falando?" Não era fácil responder "Vejo pessoas que já morreram".

– Quando descobriu que era médium? – perguntei.

Mary Ann me corrigiu na hora.

– Eu não sou médium, James. Eu não me comunico com espíritos que passaram para o outro lado. Eu só vejo e ouço aqueles que estão presos à Terra.

Ela explicou sua visão dos espíritos presos à Terra.

– Quando um espírito preso à Terra quer ficar por perto e causar problemas aos vivos, as pessoas costumam me chamar. Os espíritos me dizem sua data de nascimento, o nome do cemitério onde foram enterrados, os nomes das pessoas da família, a profissão que tinham e assim por diante. Eu peço para me falarem sobre o que os incomoda. Eles geralmente me contam por que continuam aqui e o que querem. Sinto que meu trabalho é ajudar os espíritos presos à Terra a seguir adiante. Por isso, depois que um espírito me transmite o que está pensando, imagino uma luz branca na parede e peço ao espírito que vá em direção à luz. Às vezes eles vão, outras vezes, não.

Então ela disse algo que nos pegou de surpresa.

– Os espíritos preferem lugares que estão cheios de gente. Eles gostam de se alimentar da energia dos vivos. Precisam dela para ter a força necessária para continuarem ligados à Terra.

Fez-se um silêncio, quebrado pela pergunta de um assistente de produção:

– Tem algum espírito por aqui agora?

De repente o rosto de Mary Ann se congelou e seus olhos se moveram pela sala.

– Sim, estou enxergando três. Dois homens e uma mulher. O homem e a mulher vieram ao restaurante atraídos por alguém que está bem na frente, e o outro homem vem sempre aqui, porque este é seu lugar preferido. Ele gosta do cheiro de carne na grelha.

Percebendo o interesse de todos, Mary Ann continuou.

– Espíritos quase sempre se apegam a amigos e parentes. Não é incomum seguirem as pessoas que amam.

Naquela noite, Mary Ann nos entreteve com suas histórias, principalmente com os relatos de seu trabalho para o FBI e para divisões locais da polícia.

– Uma noite, eu estava dormindo e ouvi um barulho – disse Mary Ann. – Acordei e vi meu amigo Thomas ao pé da minha cama.

Ela explicou que Thomas era um agente na divisão de narcóticos. Os dois haviam trabalhado juntos muitas vezes em casos de assassinato.

Mary Ann continuou.

– Perguntei ao Thomas o que ele estava fazendo no meu quarto. Ele respondeu: "Acabei de ser assassinado e você é a única pessoa que pode dizer ao meu parceiro quem me matou e onde encontrar meu corpo."

Mary Ann explicou que Thomas havia se infiltrado para investigar uma rede de tráfico de drogas, e um dos traficantes descobriu sua verdadeira identidade. Thomas foi assassinado e abandonaram seu corpo em um pântano ao sul de Cleveland. Quando Mary Ann transmitiu essa informação à polícia, o corpo de Thomas foi encontrado e seu assassino acabou sendo capturado.

Depois do jantar, como estávamos agitados demais para dormir, decidimos pegar o carro e ir até a locação. Mary Ann e eu desejávamos ansiosamente saber se de fato havia espíritos assombrando a casa. No caminho, olhei para o rosto de Mary Ann. Tinha uma expressão estranha, como se estivesse em transe, e ficou muito quieta durante o trajeto. Jeff, nosso produtor, dirigia lentamente, procurando o número da casa. De repente, Mary Ann e eu gritamos juntos: "Pare!" Jeff pisou no freio e o carro parou bruscamente na frente de uma casa de madeira.

– Você está enxergando a energia negra em cima do telhado? – perguntei.

– Estou, parece uma cúpula de nuvens – respondeu Mary Ann.

Pelo tamanho da massa sombria que cercava a casa, percebemos que havia muitos espíritos assombrando o local. Apertei a mão de Mary Ann. Eu finalmente havia encontrado uma pessoa parecida comigo.

Na manhã seguinte, chegamos à casa assombrada. Os proprietários nos esperavam à porta, para nos dar as boas-vindas. Beth, a esposa, parecia muito feliz por ter espíritos morando em sua casa. Cochichei para Mary Ann:

– Você acha que ela vai nos atrapalhar?

Mary Ann fez que sim:

– Talvez ela não queira que eles vão embora.

De repente Mary Ann começou a virar a cabeça em todas as direções.

– Tem um homem mais velho aqui. O nome dele é William. Ele nasceu em 1857 e morreu em 1935. Está aqui para proteger o menininho.

Segui Mary Ann até um quarto. Pelos brinquedos e jogos espalhados dava para perceber que era do filho mais novo dos donos da casa. Assim que entramos, Mary Ann disse:

– Tem um garotinho chamado Jimmy na ponta da cama.

– Pergunte a ele por que acha que deve ficar aqui – pedi.

– Porque ele nunca teve os brinquedos desse menino – respondeu ela. – Está fascinado com todos esses aparelhos eletrônicos e muitas vezes brinca junto com o outro menino. Ele também tem um problema de fala. E tem medo de ficar sozinho. O velho foi enterrado bem ao lado do garotinho, por isso fica com ele, para lhe fazer companhia. O menininho diz que ainda não está pronto para ir embora.

– Onde eles estão enterrados?

– No cemitério Holy Cross, não muito longe daqui.

Mary Ann acrescentou:

– Há mais dois espíritos que visitam a casa, mas eles não ficam muito tempo. Um deles é um rapaz de 19 anos chamado Harold Spratt, que morreu em um acidente. Ele segue a adolescente que mora na casa e aparece de vez em quando. Ele diz que gosta da energia dela e a acha bonita.

– Que coisa esquisita! – comentei.

– É uma coisa normal para um rapaz dessa idade. Com o corpo espiritual, ele pode fazer coisas e ir a lugares aonde não podia ir antes.

Ela prosseguiu.

– O outro espírito é Johnson. Ele era uma espécie de bisbilhoteiro do bairro. Teve um ataque cardíaco e morreu na garagem.

Ele não gosta das pessoas que compraram a casa que era dele, por isso fica por aqui, só para criar problemas.

Confirmei depois que, de fato, o vizinho da casa ao lado se chamava Johnson, estava sempre reclamando de alguma coisa e tinha morrido de ataque cardíaco na garagem.

Quando dissemos a Beth que ele ainda estava ali, ela quase deu um pulo.

– Aposto que é ele que está causando tanta confusão para o casal jovem aí ao lado. Eles estão sempre com algum problema de encanamento ou eletricidade.

Mary Ann avisou à moça que ela deveria se proteger, visualizando uma luz branca em volta de si.

– Isso vale para todos – continuou ela. – Assim, vocês vão parar de trazer esses espíritos geniosos para dentro de casa.

Mary Ann perguntou aos proprietários:

– Vocês querem que eu crie um portal de luz para os espíritos poderem fazer a travessia? Se eles forem para a luz, vocês com certeza irão perceber uma mudança na atmosfera da casa. Ela ficará mais tranqüila.

Beth respondeu:

– Eu não queria que partissem, e acho que vou sentir falta deles. Tem certeza de que não há nenhum outro jeito de fazê-los ficar sem nos incomodar?

Mary Ann e eu nos entreolhamos, pensando: "Ai, não!"

– Não vai ser justo com eles mantê-los aqui – expliquei. – São espíritos e precisam prosseguir em sua jornada. A melhor coisa a fazer é libertá-los de suas amarras com o plano terreno.

Beth resistiu um pouco, mas finalmente concordou. Mary Ann começou a se concentrar.

– Estou criando uma luz branca na parede, uma espécie de portal.

No momento em que ela começou sua visualização, todos no

recinto, inclusive a equipe do programa, sentiram imediatamente uma diferença na atmosfera, como se um peso tivesse sido retirado. Os pêlos dos meus braços se arrepiaram, e eu soube que os espíritos haviam partido.

Depois da pausa para o almoço, Jeff veio falar comigo.

– Preciso de mais imagens.

– Quem sabe tentamos achar o cemitério e encontrar o túmulo desses espíritos? – sugeri.

No trajeto para o cemitério, eu me sentia entusiasmado. Achei graça e pensei: "James, só você mesmo para ficar tão animado com a idéia de encontrar espíritos."

Fazia muito calor, e tivemos dificuldade em encontrar os túmulos do menino e do velho. Sentei debaixo de uma árvore para descansar um pouco, enquanto a equipe continuou procurando. Fechei os olhos e fiquei imaginando quanto tempo mais demoraria para encontrar as sepulturas.

De repente, senti um puxão na perna da calça. Abri os olhos e vi um menino de tênis, colete, jaqueta e chapéu. Ele abriu a boca e falou com uma voz meio assobiante:

– Meu nome é Zimmy... Zimmy McKevit. Meu corpo está logo ali.

Ele apontou para a segunda fileira de sepulturas à minha direita. Levantei-me, chocado, virei na direção dos túmulos e de novo para o menino. Naquela fração de segundo, ele havia desaparecido. Caminhei até a fileira de túmulos, e lá estava a sepultura dele. Ao lado, se encontrava a de William Arling, nascido em 1857, morto em 1935. O entusiasmo voltou como se eu fosse um garoto abrindo presentes na manhã de Natal.

– Pessoal, achei uma coisa aqui – gritei para a equipe.

Libertos dos laços com a Terra, os dois espíritos estavam livres para ir embora. Mas tenho certeza de que ainda ficaram por perto dos locais familiares, não mais para assombrar, mas para proteger.

Sei que Mary Ann e eu somos almas irmãs. Fizemos esse trabalho antes, em outras vidas, e nos encontramos novamente agora para ajudar as pessoas a entender o mundo dos espíritos. Mary Ann é uma pessoa especial e eu queria compartilhar seu dom com o resto do mundo. Tempos depois, *The Ghost Whisperer* seria um programa de TV baseado no trabalho de sua vida.

A obsessão de um espírito

O estado emocional e mental da pessoa não muda imediatamente após a morte. Se ela estiver obcecada por dinheiro, por exemplo, essa obsessão continuará presente. Espíritos obcecados pelo dinheiro que deixaram para trás podem tentar controlar seus recursos financeiros, influenciando os herdeiros com seus pensamentos. Esta pode ser uma árdua lição para as pessoas que simplesmente não conseguem deixar nada para trás.

Annette Baker era uma pessoa que não conseguia se desapegar. Ela havia sido uma executiva do setor de entretenimento e uma produtora de TV muito bem-sucedida. Mas, para subir na vida, não hesitou em pisar nos que estavam em seu caminho. Era uma tirana que agredia os funcionários com suas ordens e os humilhava para que tivessem certeza de quem estava no comando. O "poder" era seu deus.

Durante uma reunião com os roteiristas de *The Ghost Whisperer*, o espírito de Annette apareceu. Ela entrou no escritório e imediatamente começou a olhar por sobre os ombros de todos para ver o que estavam escrevendo. Então, começou com uma avalanche de críticas:

– *O que é que eles sabem? Eu produzi alguns dos melhores programas de TV.*

Annette circulou por ali dizendo como era incrível e como ninguém jamais havia lhe dado o devido valor. Felizmente nenhum dos roteiristas sabia o que estava acontecendo. Depois que ela terminou de se elogiar, saiu apressada para o corredor, certamente dirigindo-se à sala do presidente do estúdio para ensinar-lhe como administrar aquele lugar.

É incrível como ficamos apegados aos nossos estados emocionais e mentais. Culpa, raiva e ressentimento mantêm nossas almas em prisões auto-impostas, mesmo depois da morte. Para que possamos seguir adiante, devemos aprender a perdoar os outros e a nós mesmos.

O período que é vivido na Terra serve para o aprendizado. Do ponto de vista espiritual, tudo o que se espera de nós é que amemos a nós mesmos, não de uma forma narcisista, mas nos valorizando por sermos seres espirituais. Estamos aqui para fazer o melhor que pudermos e para tratar os outros com compaixão e bondade. O nível humano é uma grande escola onde nossas almas podem aprender e crescer. Se formos capazes de compreender isso, nossa transição para o outro lado será fácil e alegre.

Com o tempo, espíritos presos à Terra acabam esgotando todos os seus desejos terrenos e passam a ter vontade de experimentar algo mais. Isso acontece quando já estão prontos para passar para dimensões espirituais e mentais mais elevadas.

cinco

O MUNDO DOS ESPÍRITOS

Já me perguntaram inúmeras vezes: "Onde fica o mundo dos espíritos?" Infelizmente, não há uma resposta simples para essa questão. Para compreender onde fica o mundo espiritual, devemos mudar nosso modo de pensar. O mundo espiritual não é um local geográfico, não é algo que possa ser encontrado em um mapa. O mundo espiritual é na verdade um *estado de ser* energético.

O Universo é feito de ondas eletromagnéticas. Nós talvez não estejamos fisicamente conscientes dessas energias, mas sabemos que elas existem porque vemos imagens na televisão, ouvimos vozes no celular e ingerimos alimentos preparados no forno de microondas. Essas ondas são precisamente sintonizadas em uma determinada freqüência para que possam funcionar da maneira adequada.

Assim como as ondas eletromagnéticas do universo físico, o mundo espiritual é formado por milhares, talvez milhões de dimensões energéticas, e cada uma tem sua própria vibração. Essas vibrações se sobrepõem umas às outras, e assim, penetram no nosso mundo físico. Assim como a internet, as dimensões espirituais podem interagir com pessoas do mundo inteiro sem que ninguém tenha que sair da privacidade de seu lar. Talvez não tenhamos consciência da multiplicidade de vibrações que nos cercam, mas elas existem mesmo assim. Infelizmente, a maior parte das pessoas não tem capacidade de entrar em sintonia com essas vibrações sem passar por algum tipo de treinamento.

As dimensões espirituais são semelhantes à mensagem que existe na Bíblia, em João 14:3: "Na casa de meu Pai há muitas moradas; se não fosse assim, eu vo-lo teria dito." Acredito que essas "moradas" a que o evangelista se refere são as várias dimensões espirituais. Como médium, tenho a capacidade de penetrar nessas dimensões, aumentando minhas vibrações para atingir freqüências mais altas. Assim, posso ser um canal entre o plano mais baixo do mundo físico e as vibrações mais rápidas do mundo espiritual invisível. Todos nós podemos ser canais se nos esforçarmos para isso. Uma das maneiras mais rápidas de aumentar essas vibrações é por meio da meditação.

Dimensões espirituais

Há muitos anos, tive a honra de conhecer Mark Macy, cientista e pesquisador muito dedicado que, assim como eu, estava interessado em apresentar provas detalhadas de que existe vida após a morte. Até hoje grande parte de seu trabalho não foi analisada com a devida atenção. Macy estava na vanguarda das investigações sobre os diversos meios pelos quais um espírito pode se comunicar com os vivos. Ele estava envolvido com a World Instrumental Trans-Communication (Transcomunicação Instrumental Mundial), uma organização de pesquisadores que utilizava diversas tecnologias, como rádio, televisão e computadores, para fomentar mensagens e comunicação com o mundo espiritual. Estudei o trabalho de Macy por muitos anos e acredito que grande parte das informações que ele coletou se parece muito com as descrições espirituais que recebi através de meu próprio trabalho psíquico.

Sempre que eu explicar os diferentes níveis do mundo espiritual, é importante lembrar-se de que faço isso baseado em minha própria evolução espiritual. Um espírito que deseja expressar a cor vermelha através de mim está limitado pelo meu conceito do que seja a cor vermelha; esse espírito tem que utilizar meu conjunto de referências. Outro médium pode ter uma interpretação diferente da cor vermelha, baseada em suas próprias referências. Além disso, as dimensões do mundo espiritual não são fáceis de descrever. Eu sou limitado por termos humanos inadequados para descrever dimensões que são etéreas e celestiais. Fico frustrado quando tento explicar as incríveis visões, cores e sensações que me são comunicadas. As palavras são pobres para expressar os reinos espirituais.

Quando abandonamos nosso corpo físico no momento da morte, entramos em uma dimensão de sintonia muito fina. Como já disse no capítulo anterior, a experiência de entrar no mundo espiritual é diferente de pessoa para pessoa, dependendo do sistema de crenças de cada uma, do nível de conhecimento e do grau de evolução espiritual. À medida que passamos pelos planos astrais inferiores e nos movemos para as dimensões superiores, as experiências se tornam ainda mais rarefeitas. Pensamentos e sentimentos têm sua intensidade amplificada. Espíritos viajam através de várias dimensões até atingirem aquelas que coincidem com seu nível de compreensão.

Na Terra, convivemos com pessoas que têm ideologias completamente diferentes das nossas. Se olharmos ao redor, podemos enxergar uma multiplicidade de crenças religiosas e de diversas idéias sobre como a vida funciona. A diversidade é importante, porque a Terra é uma escola. Estamos aqui para aprender com base nas diferentes contribuições de cada um. No entanto, nas dimensões espirituais, gravitamos em direção a uma mentalidade semelhante à nossa e à de outros que têm os mesmos pontos de vista e se encontram no mesmo nível de evolução. O lugar onde vamos parar depois da morte é criado por nós mesmos, por meio de nossos pensamentos, palavras e atos e pela maneira como vivemos na Terra. Se seguimos o caminho de uma determinada religião, por exemplo, ficamos junto com outros que compartilham a mesma crença.

Nossa fé faz com que seja assim

Há alguns anos, fiz uma sessão com o ator Malcolm Jamal Warner. Malcolm era um sujeito maravilhoso, criativo e afetuoso. No meio da sessão, uma mulher muito gorda, que havia morrido em um acidente de carro, apareceu. Usava um vestido amarelo, um chapéu de aba larga, e parecia estar a caminho da missa de domingo.

Ela ficou em pé na minha frente e disse:

– *Meu nome é Virginia e acho que você está fazendo o trabalho do diabo ao falar com espíritos.*

Perguntei a ela:

– *Se eu pertenço ao mal, por que você apareceu?*

– *Porque eu o amo.*

– *É exatamente por isso que faço este trabalho. Por amor.*

– *Não, é o diabo quem está colocando palavras em sua boca.* – ela insistiu.

– *Você é o diabo?* – perguntei.

Ela ficou atônita.

– *É claro que não.*

Depois de algum tempo, ela começou a entender meu ponto de vista. Mas continuou citando várias passagens bíblicas para mim.

Transmiti as mensagens a Malcolm, e ele sorriu.

– É a minha tia Virginia! Rígida como ela só!

Essa sessão demonstrou com que tenacidade uma pessoa é

capaz de se aferrar às suas crenças mais arraigadas. Como modificar tais crenças? Temos que estar abertos a mudanças. Quando estamos prontos para valorizar o amor e a cura e para pensar nas pessoas como boas, e não más, somos então capazes de mudar nossa visão sobre a vida. Isso nos ajuda a questionar nossas crenças arraigadas. Nossos pensamentos têm muito poder. Pensamentos amorosos abrem o coração. Pensamentos amorosos ajudam aqueles que estão em dimensões espirituais menos evoluídas a encontrar a verdade.

O plano astral inferior

Quando uma pessoa se desfaz de seu corpo físico no momento da morte, o fio de prata que antes ligava o corpo etéreo ao físico é rompido. O que resta é uma exata réplica do corpo físico, porém mais leve e vibrante.

A primeira dimensão além do reino físico é o plano astral inferior, que vibra muito próximo ao domínio terreno e se localiza entre a Terra e as esferas mais elevadas. É o primeiro com que os espíritos se deparam e onde geralmente ficam pouco tempo. Muitos espíritos já comunicaram que esse nível é cinzento e pouco iluminado.

No plano astral inferior, tudo o que se pensa é visto e ouvido com muita clareza. Os espíritos não podem esconder seus próprios pensamentos como os humanos fazem. Na verdade, o plano astral inferior é tão intenso sob o ponto de vista mental que amplifica todos os pensamentos e emoções. Com freqüência eu me refiro a esse plano como nossa lata de lixo mental e emocional. Quando os espíritos decidem permanecer no plano astral inferior, eles se transformam em criações coletivas de determinados aspectos dos humanos que estão ligados de modo obsessivo a emoções não resolvidas e freqüentemente negativas, como raiva, depressão, desespero, solidão, culpa, vício, crueldade e ódio. O plano astral inferior é deprimente porque os espíritos parecem se alimentar da negatividade associada a essa criação coletiva. É como se os espíritos estivessem presos a uma mentalidade muito arraigada. Devido ao fato de os pensamentos permanecerem conosco em nossa jornada, nossos pontos de vista também ficam. Crenças, gostos, desgostos e julgamentos continuam como eram antes. Não há milagres ou revelações totais quando morremos.

Com freqüência me perguntam: "O que acontece quando a pessoa não acredita na vida após a morte?" Uma pessoa que não acredita na vida após a morte ficará bastante surpresa ao descobrir que ainda está viva. Talvez demore muito tempo até compreender o que aconteceu e, durante esse período, ela vagará pelo plano astral inferior. O pensamento controla a existência, e por isso a pessoa recebe aquilo em que acredita.

Os gritos

O plano astral inferior contém muitos corpos astrais fragmentados, não-humanos e não-evoluídos, e formas de pensamentos criadas pelo nosso medo. Todos os pensamentos estão vivos aqui. Julgamentos, preconceitos, ignorância espiritual e desentendimentos formam os pensamentos fragmentados que permanecem nesse reino como bolsões de energia negativa. Muitos cristãos se referem ao nível espiritual mais baixo como o inferno. Não há fogo e enxofre, mas restos de pensamentos negativos.

Depois que decidi me dedicar ao meu desenvolvimento psíquico, um dos primeiros lugares a que tive acesso em meus exercícios foi o nível astral inferior. Normalmente conto a história a seguir nos meus workshops, e depois as pessoas vêm compartilhar comigo experiências semelhantes.

Eu tinha acabado de acordar e ainda estava em um estado intermediário entre o sonho e a vigília. Eu me lembro de sentir que flutuava de volta ao meu corpo, vindo de um lugar espiritual muito alto, como se estivesse caindo de um penhasco. A sensação não era assustadora, parecia mais com descer em um elevador que se movia muito rápido. Lembro-me disso com clareza, porque eu continuava descendo através do que parecia ser uma fenda na Terra, e o lugar ia ficando cada vez mais escuro, até se tornar um breu quase completo. Foi estranho e perturbador. Eu ouvia pessoas gritando. Via e sentia braços na escuridão se esticando na minha direção, para tentar me pegar. Não eram corpos completos, por isso achei que se tratavam de formas e energias fragmentadas que viam minha luz e queriam se agrupar em torno dela. Eu sabia que essas energias fragmentadas não tinham capacidade de me ferir, mas mesmo assim eu me sentia muito desconfortável. Quando abri os olhos, pensei: "Ai meu Deus! Que lugar assustador e sombrio!" Acredito que esse nível me foi mostrado para que eu soubesse que ele existe. Era importante estar ciente de todos os lugares do além para poder falar aos outros a respeito deles.

Durante uma de minhas demonstrações na TV, testemunhei algo que eu nunca vira. Enquanto eu me sintonizava com uma jovem na platéia, imediatamente tomei consciência de um espírito feminino mais velho e desleixado, puxando os cabelos como se fossem cordões. Esse espírito ficou à direita da moça, e eu percebi imediatamente que se tratava da mãe dela. Fiquei com um pouco de medo de prosseguir, por causa do que estava vendo e sentindo. Em volta da mãe havia uma energia marrom-escura que parecia piche e que só posso descrever como "energia suja". Instintivamente percebi que aquele espírito estava em um nível muito baixo do mundo espiritual.

A mãe estava virada para a filha e gritava palavrões para ela.

Cada vez que a mãe enviava sua energia negativa, eu percebia que a jovem baixava mais a cabeça. Para me proteger, rapidamente projetei uma parede de luz dourada entre o espírito e eu. Era uma barreira de proteção para manter longe de mim a energia negativa dessa entidade astral inferior (essa é uma técnica rápida para proteção instantânea contra energias nocivas ou depressivas).

Eu disse à moça:

– Sua mãe está muito zangada e culpa você por toda a má sorte que teve na vida.

A cabeça da filha se curvou mais ainda.

Fiquei com pena dela, porque intuí que era muito doce e bondosa. Mas tantos anos de tortura mental e abuso por parte da mãe haviam roubado sua inocência.

Tive a sensação de que a mãe tinha sido alcoólatra e viciada em heroína durante sua existência terrena e que nunca assumira responsabilidade pelas escolhas erradas que fizera. Em vez disso, culpava outras pessoas por suas dificuldades, tornando-se cada vez mais amarga. Tinha morrido sem um único centavo.

Como espírito, essa mulher entrou nos planos espirituais inferiores e manteve sua mentalidade negativa intacta. Em vez de tentar romper com seus antigos hábitos, ela permaneceu em um círculo vicioso perpétuo de erro. Isso era tudo o que ela sabia fazer ou queria saber.

Tentei ajudar o espírito a compreender sua situação, mas ela reagiu com agressividade:

– *Você não sabe do que está falando.*

Ela então mencionou que os outros espíritos do local onde se encontrava eram *maus, agressivos e nunca a ouviam*. É interessante ver como os semelhantes se atraem.

O espírito continuava gritando comigo. Eu me virei para a moça e disse:

– Vou ignorar sua mãe porque o comportamento dela é horrível.

Isso deixou o espírito ainda mais furioso, mas mesmo assim continuei a dar conselhos à jovem.

– Sabe – disse eu –, você não é responsável pela vida de sua mãe.

A moça olhou para mim como se tivesse passado a vida inteira esperando por essas palavras que nunca ouvira.

Reencontrei essa moça muitos anos depois. Ela me disse que tinha feito terapia e que agora era uma pessoa completamente diferente. Em vez de ficar de cabeça baixa, aprumava o corpo e andava de cabeça erguida, orgulhosa de ser quem era.

– Sua mãe ainda a incomoda?

– Eu não sonho mais com ela. Agora sei que ela está em um lugar que ela mesma criou, devido à maneira como conduziu sua vida. Sempre que penso em minha mãe, apenas envio amor e bênçãos.

Além de o plano astral inferior ser formado por nossos próprios pensamentos e emoções negativas coletivas, nós também o alimentamos continuamente com nossa negatividade. Isso inclui formas de lazer negativas. Filmes violentos, programas de televisão e música que exageram os medos e comportamentos cruéis das pessoas podem parecer excitantes, mas só servem para exacerbar o comportamento mais primitivo da nossa sociedade. Os criadores dessas imagens negativas podem estar sob a influência de espíritos do plano astral mais baixo. Tudo é energia, e energias negativas, como medo, raiva e ódio, ficam registradas no plano astral inferior. Como em um círculo vicioso, essas formas de pensamento retornam como assombrações durante anos e anos, reforçando o medo e o ódio.

Nós nos preocupamos muito em salvar o ambiente externo, mas tudo começa com o ambiente dentro de nós. Pode parecer um clichê chato ficar dizendo que amor, paz e gentileza são capazes de nos salvar, mas é verdade. Pensamentos positivos ajudam a contrabalançar a energia negativa. Os pensamentos positivos e as preces são vitais para nosso bem-estar físico e psíquico.

As dimensões astrais mais elevadas

Do mesmo modo que há uma progressão natural da vida na Terra, também existe uma progressão natural da vida após a morte. À medida que um espírito expande sua consciência e se desenvolve, ele passa de um plano existencial para outro. Nessa progressão, vai se tornando menos interessado nas questões terrenas e menos preocupado com elas.

Muitos espíritos ingressam na luz das dimensões espirituais mais elevadas e chegam a um lugar que costumo chamar de Terra do Verão. Essa dimensão é quase tão real quanto a Terra. É um mundo de edifícios e casas incríveis, com cores incompreensíveis para mentes terrenas. Muitos espíritos nesses reinos relatam que as casas em que moram parecem exatamente iguais às casas da Terra, exceto pelo fato de serem absolutamente perfeitas. Eles freqüentemente relatam que cada casa é localizada em um terreno absolutamente proporcional ao tamanho da casa. Em outras palavras, não existe crescimento urbano exagerado. Quando pensamos na nossa casa perfeita na Terra, inconscientemente criamos o lar que corresponde a ela no nível astral mais elevado. Assistentes espirituais no plano mais alto da dimensão astral ajudam a dar formas a essas residências por meio da combinação dos nossos pensamentos com os poderes mentais deles. Quando chegamos ao céu, nosso novo lar já nos espera, em sintonia perfeita com nossa individualidade.

Além dessas casas, as dimensões mais elevadas também incluem prédios maiores, como salas de concerto, museus e bibliotecas. Nossos sonhos e desejos podem se tornar realidade no plano astral. As maiores obras da humanidade são criadas primeiramente no plano astral mais elevado. Muitos cientistas espirituais trabalham juntos nesse domínio, concentrando suas energias para que novas idéias sejam filtradas até atingir as mentes humanas.

A dimensão astral mais elevada também é um lugar de inspiração divina, pois está livre de desejos terrenos e de conflitos. Os espíritos dessas dimensões se reúnem por amor, para expandir seus horizontes mentais e espirituais. É um estado de ser em que mentes brilhantes concebem incríveis criações artísticas. Qualquer coisa capaz de fazer o coração se alegrar está localizada aqui.

E, finalmente: espíritos localizados nas dimensões mais elevadas podem visitar outros localizados nas dimensões inferiores, mas estes não podem subir até as dimensões mais elevadas enquanto suas almas não estiverem prontas. Espíritos altamente evoluídos têm consciência do que acontece no nível físico e com freqüência visitam a família e os amigos na Terra, para ajudá-los ou protegê-los.

O homem do piano

Fiz uma sessão para uma jovem chamada Pam, cujo pai, Gus, havia falecido. Quando Gus conseguiu se comunicar, ele mencionou o nome de Otto.

Perguntei a Pam:

– O nome Otto significa alguma coisa para você?

– Não, não me lembro de ter ouvido esse nome.

– Vejo um piano associado ao Otto – continuei.

Pam não conseguia se lembrar de nenhum Otto associado à vida de seu pai.

– Quando for para casa, pergunte à sua mãe se ela conhece alguém chamado Otto.

O pai de Pam continuava falando sobre o piano e sobre ter aulas.

– Eu me lembro vagamente de meu pai ter tido aulas de piano. Acho que ele disse que não tocava bem, por isso parou. – Pam fez uma pausa. – Acho que havia muitas coisas que meu pai se arrependia de não ter feito.

Gus me enviou um pensamento.

– Tem alguma música na sua cabeça que você não consegue parar de cantarolar?

Os olhos de Pam se arregalaram.

– Tem, sim! É uma coisa completamente ridícula. Nas últimas três semanas, toda vez que estou no carro, a mesma música aparece na minha cabeça.

– Ele está dizendo: "Sou eu! Eu cantava isso para Pam quando ela era bebê!"

Várias semanas depois, recebi uma carta de Pam. Ela havia compartilhado sua sessão espiritual com a mãe. A mãe ouvira o pai de Pam falar de Otto. Ele era um professor de piano judeu que fora mandando para Auschwitz quando os nazistas invadiram a Polônia. Gus foi um dos primeiros soldados americanos a libertar judeus de campos de concentração na Segunda Guerra Mundial, e em Auschwitz conheceu Otto. Quando Gus ajudou Otto a sair do campo, Otto disse a ele: "A música foi a única coisa que me manteve vivo." E acrescentou: "A música é o coração da alma. Ela faz com que os seres humanos se lembrem de onde vieram."

Pam disse na carta que a mensagem de seu pai começou a fazer sentido. Agora ela sabia que seu pai estava com Otto e que este o estava ensinando a tocar piano. A música que ela cantarolava era a que seu pai havia composto depois que voltara da guerra.

Guias para a vida

Quando os espíritos saem dos planos inferiores e vão em direção aos planos espirituais mais elevados, eles encontram uma série de espíritos de natureza superior. Esses outros agem principalmente como nossos guias na Terra e são capazes de influenciar nossos pensamentos e ações de forma positiva. Alguns guias estão conectados a nós durante a evolução de nossas almas. Outros são atraídos devido às lições que precisamos aprender aqui, na Terra. Todos os guias também estão continuamente evoluindo, como parte de seu crescimento espiritual, e querem nos transmitir seu conhecimento e visão. A seguir, uma relação dos diferentes tipos de guias espirituais.

Guias ajudantes

Os guias ajudantes nos influenciam e ajudam, trazendo à tona nossos talentos inatos. Normalmente, esses guias tinham talentos parecidos quando estavam na Terra. Seu trabalho consiste em incentivar os vivos a utilizar suas habilidades ao máximo e a ganhar uma compreensão mais clara de seus talentos (que podem incluir qualquer coisa, desde contabilidade e medicina até canto). Em meus workshops, sugiro às pessoas que invoquem seus guias ajudantes quando estão trabalhando em algum projeto ou quando precisam de apoio no trabalho. Na mitologia grega, o guia ajudante era chamado de musa: o guia que nos ajuda a alcançar nossos sonhos.

Guias de relacionamentos

Guias de relacionamentos trabalham com nossa vibração energética individual para abrir nosso coração para o amor e para podermos compartilhar nossas vidas com outros. Eles nos guiam atraindo pessoas às quais estamos carmicamente conectados. Talvez tenhamos lições a aprender com certas pessoas ou talvez existam fortes laços de amor que venham de outras vidas. Ainda assim, temos muitos parceiros de alma, e cada parceiro traz presentes sob a forma de lições de vida. Guias de relacionamentos sempre trazem as pessoas certas para nós no momento certo. Não há enganos. Cada pessoa que aparece na nossa vida está lá por algum motivo. Cada pessoa que conhecemos na Terra é um professor em potencial, mesmo que não nos demos conta na hora, principalmente se as lições forem desagradáveis ou desconfortáveis. Guias de relacionamentos nos ensinam a gostar de nós mesmos. Quando tomamos consciência do nosso próprio valor, nos tornamos capazes de compreender a natureza do verdadeiro amor incondicional.

Guias familiares

É muito freqüente que as pessoas me abordem dizendo: "Eu não escolhi minha família." Mas a verdade é que nós a escolhemos, por mais absurdo que isso possa parecer. Escolhemos os integrantes de nossa família antes mesmo de iniciarmos nossas existências terrenas. Na verdade, nossas famílias têm estado conosco durante muitas vidas. É interessante constatar como as almas viajam em grupos. Freqüentemente elas esperam até estarem todas juntas do outro lado para chegarem à Terra ao mesmo tempo. Nossas famílias fazem parte do nosso grupo espiritual e as experiências que compartilhamos com os integrantes desse grupo provavelmente são as mais difíceis de compreender e as mais importantes de aprender a administrar.

Percebo que há muitos assuntos inacabados entre as famílias, porque boa parte do meu trabalho consiste em facilitar a comunicação entre seus membros. O laço de amor entre dois membros de uma família pode se tornar ainda mais forte após a morte. Depois que morrem, muitas almas percebem que poderiam ter sido mais solidárias e compreensivas com as pessoas mais próximas. Percebem que poderiam ter sido melhores pais, maridos ou filhos. É muito comum que membros da família que estão do outro lado decidam compensar seus erros terrenos ajudando seus familiares e, assim, se tornam guias espirituais.

O amor de uma mãe

Há muitos anos, quando eu estava aperfeiçoando minhas habilidades mediúnicas, visitei o que gosto de chamar de "círculo de desenvolvimento". Trata-se de pessoas de mentalidade semelhante que se reúnem para fazer contato com espíritos. Durante um desses círculos, um colega disse:

– Sua mãe está sentada ao seu lado.

Minha mãe e eu éramos muito unidos na minha infância. Ela compreendia meu talento, mas não sabia como explicá-lo, principalmente para o meu pai.

– Sua mãe quer que você saiba que ela se sente culpada. Lamenta por você não ter podido contar com ela quando era menino. Ela agora quer ser uma mãe de verdade.

Fiquei ao mesmo tempo espantado e empolgado. Era como voltar a ter o amor da minha mãe. A partir daquele momento, passei a sentir sempre sua presença perto de mim. Ela me ajuda a ter auto-estima e me reconforta quando tenho algum problema. Ela também é excelente quando se trata de me avisar sobre certas situações e circunstâncias capazes de me prejudicar. Sua presença me fez aprender a dar mais valor às coisas e a ter mais compaixão.

O coração de um professor

Espíritos que se tornam guias para os vivos são mesmo especiais. Quando os espíritos não conseguiram ajudar os outros enquanto estavam no plano terreno ou se seu trabalho na Terra foi interrompido, terão oportunidade, no outro lado, de satisfazer seu desejo de ajudar os vivos. Esse foi o caso dos dois espíritos na história que conto a seguir.

Eu estava fazendo um programa de rádio em Los Angeles quando um homem chamado Willie ligou, querendo descobrir algo sobre sua irmã. Eu não tinha certeza absoluta sobre o que estava captando, por isso perguntei:

– Vejo uma praia e um pôr-do-sol. Isso significa algo para você?

– Sim – respondeu ele.

– O nome da sua irmã é Mac, Mackie ou algo assim?

– Maxine. Nós costumávamos chamá-la de Max.

– A morte dela aconteceu muito rápido. Ela está dizendo que não esperava por isso, que ninguém esperava.

Eu logo senti que a irmã de Willie estava embaixo d'água.

– Sinto que ela está se afogando... Você compreende isso?

Willie começou a chorar.

– Sim, compreendo.

– Agora ela está mencionando Amy. Você conhece Amy?

– Conheço.

– Ela está com Amy agora – disse eu.

– Ela foi com Amy. Elas morreram juntas.

Então, tive algumas visões bem esquisitas.

– Eu fico vendo coisas como árvores e móveis voando. Sua irmã tenta segurar Amy, mas não consegue. Ela também é arrastada. É isso mesmo? – perguntei.

Willie mal conseguia se controlar. Eu sabia que tinha feito uma conexão entre ele e sua irmã, Maxine, e que esta era a chance de os dois se reunirem.

– Sinto que isso foi uma terrível tragédia que envolveu muita gente – prossegui.

Então compreendi.

– Foi o tsunami no sudeste asiático?

– Foi, sim – respondeu Willie. – Max e Amy tinham ido passar o Natal lá.

– Ela está pedindo para eu dizer que não sentiu nenhuma dor, apesar de se lembrar dos destroços que a atingiram. Pede que avise Peter de que está tudo bem com ela.

– Peter é o marido de Max – Willie informou.

– Ela está dizendo que ela e Amy davam aulas para crianças.

– Sim. Elas trabalharam juntas, dando aulas para crianças em idade pré-escolar durante dez anos.

– Amy quer que você saiba que elas se sentem muito felizes, porque estão trabalhando naquilo que mais amam. Sua irmã está me dizendo que dá aulas para crianças que morreram por causa do tsunami. Lá, existem escolas para várias disciplinas. Diz que não há diferença de raças no outro mundo. Que isso é apenas um engano do mundo terreno. Maxine acha que um dos desafios que enfrenta é com espíritos que ainda carregam preconceitos e mentalidades da antiga vida e que têm dificuldade de se abrir para o novo mundo que há diante deles. Diz que esses espíritos ficam presos a suas crenças, enquanto ela e Amy seguem em frente, porque são dedicadas a seus alunos.

– Sim, elas duas ganharam prêmios por seu trabalho como professoras. – Willie fez uma pausa. – Além de dar aulas, o que mais elas estão fazendo?

– Max diz que as duas estão envolvidas com crianças que passam para o mundo espiritual e que não têm mães para guiá-las.

De certo modo, elas são como mães adotivas. São guias fortes para o crescimento e a evolução dessas crianças.

Guias de ordem superior

A seguir, uma lista de guias espirituais altamente desenvolvidos, cujas tarefas são proteger, inspirar e ensinar.

O guardião do portal

A tarefa principal desse guia é nos proteger de qualquer energia que bloqueie nosso caminho, como os espíritos presos à Terra que podem querer nos fazer mal. Os guardiões asseguram que apenas as energias que estão sintonizadas com o desenvolvimento de nossas almas cheguem até nós.

Guia inspirador

Esse guia nos influencia com ensinamentos espirituais e verdades como compaixão, perdão e compreensão. Um guia inspirador nos ajuda a ver situações sob vários pontos de vista para que possamos aprender a ter tolerância, gentileza e compaixão, e assim expandir nossa natureza até uma compreensão mais elevada da realidade.

Guia de cura

Como o nome sugere, esse guia nos ajuda com energias de cura, auxiliando a promover um estado de bem-estar corporal, emocional, mental e físico. Não é necessário pedir ajuda a esse guia, porque ele sabe quando precisamos dele.

Guias infantis

Toda vez que vejo espíritos de crianças, sei que eles estão em uma missão muito especial. Há muitos anos, antes de começar minhas sessões espirituais, tive um emprego temporário no Hospital Midway, em Los Angeles, como atendente no departamento de pessoal. Eu adorava esse trabalho porque minha chefe, Margaret Morgan, era uma pessoa incrível. Um dia, ela me pediu para levar alguns papéis para a central de enfermagem do quarto andar. Entrei no elevador e apertei o número quatro. Por algum motivo, o elevador abriu no terceiro andar. Não havia ninguém. Curioso, saí do elevador e caminhei pelo corredor. Na metade do caminho, notei que havia um grupo de crianças dando risadas e entrando em um dos quartos. Achei estranho haver crianças pelo corredor e me perguntei se não seria a ala infantil. Segui as crianças e, no caminho, fui olhando para dentro de cada quarto. Todos os ocupantes eram pacientes idosos na etapa final de sua jornada. A maior parte deles estava ligada a tanques de oxigênio e a outras máquinas de sustentação de vida.

Olhei para dentro do quarto onde as crianças tinham entrado. Uma senhora idosa se esforçava para respirar, e o som ecoava pelo quarto. As crianças foram na direção dela com mãos de luz dourada. Compreendi que eram guias espirituais prontos para ajudar aquela senhora a partir. Dei meia-volta e me sentei no fim do corredor, tentando digerir os pensamentos que inundavam minha mente. De repente, um apito estridente disparou. Enfermeiras que pareciam ter surgido do nada correram para o quarto da mulher. Eu sabia que ela havia morrido.

As crianças realmente são os anjinhos de Deus. Muitas são professores espirituais que trazem sua energia de alegria e divertimento para as almas terrenas que perderam a inocência e a verdade. Guias infantis nos ajudam a lembrar como a vida pode ser divertida e a manter nossos corações e mentes abertos para receber as bênçãos que nos são destinadas.

Anjos

Anjos são mensageiros espirituais e instrumentos divinos de orientação, inspiração e proteção. Apesar de não ver anjos com muita freqüência, eu os invoco sempre que sinto necessidade de ajuda extra. Eles nunca me decepcionaram e me ensinam lições valiosas de humildade e fé.

Eu estava em Nova York quando fui chamado para dar uma entrevista no programa de rádio de Howard Stern. Apesar de já ter sido convidado para o programa várias vezes, sempre evitei aceitar. Eu sabia que Howard era um cético empedernido em relação a assuntos ligados à paranormalidade, e não queria ser ridicularizado por ele. No entanto, de certa forma eu o admirava, pois aplaudo qualquer um que seja fiel a si mesmo, enfrentando a desaprovação pública. Howard é assim.

Acordei às 5 horas, ainda pensando se deveria mesmo ir ao programa. Era um bom momento para meditar. Pedi proteção divina aos meus guias. Imediatamente, um belo ser apareceu, e ouvi as palavras: "Você está protegido." Abri os olhos e sorri. Meus medos se dissiparam e me dirigi para o estúdio.

Quando entrei, avistei Howard de pé, perto da máquina de café. Ao me apresentar a ele, percebi imediatamente que Howard Stern não tem nada da arrogância que ostenta em público.

Quando nos sentamos para a entrevista, Howard olhou para mim e disse:

– Sabe, eu não acredito que você seja capaz de falar com os mortos.

As seguintes palavras saíram de minha boca antes que eu pudesse detê-las:

– Não me importo com o que você acredita.

Howard sorriu, e eu soube que iríamos nos dar bem. A entrevista prosseguiu sem os comentários embaraçosos e desrespeitosos típicos de Howard. No fim, ele perguntou se podia me apresentar à sua namorada.

– Ela adora esse tipo de coisa.

Nunca dá para saber como os anjos operam. Cabe a cada um de nós confiar, se entregar e deixar que eles façam seu trabalho. A ajuda está sempre disponível, mas precisamos ter fé e coragem para permitir que ela chegue até nós.

Só podemos ter um vislumbre das muitas dimensões que se interligam e que vão além da nossa atmosfera física e da dos seres que habitam essas dimensões. Como já afirmei várias vezes para muitas platéias, o fato de não vermos essas dimensões não significa que elas não existam. Tudo é parte de uma fonte energética única de espiritualidade. É tudo energia.

seis

Tudo é energia

Você já teve a sensação de que alguém o estava observando mas não conseguiu ver quem era? Já sentiu um calafrio pela espinha? Já ouviu passos quando não havia ninguém por perto? Já conheceu alguém e imediatamente gostou ou não gostou da pessoa? Será que isso é real? O que são exatamente essas manifestações? A resposta é simples: energia.

Falando de forma simples, energia é uma força ou uma relação entre dois objetos. Ela tem diversas definições. Alguns se referem à energia como a força vital de todo pensamento através da matéria. Outros pensam na energia como um elemento magnético que une todas as coisas do Universo. Quando me pedem para descrever a energia, respondo que é a combinação das partículas de moléculas e elétrons que se comportam de determinada maneira. Tudo é composto por essas partículas, tudo é feito de energia. O importante é saber que, dependendo da dimensão, elas se movem em velocidades diferentes. Por exemplo, as partículas que formam as cadeiras, as casas, as flores e o seu próprio corpo físico se movem em um ritmo muito lento, porque vibram no mundo tridimensional. Os espíritos vibram a uma freqüência mais alta, porque estão na quarta dimensão.

É desnecessário dizer que energia se refere a muitas coisas que compõem nosso mundo. Há diferentes tipos de energia, como elétrica, mecânica, química e térmica. O tipo de energia discutido neste capítulo é a cinética, ou energia espiritual.

O ser de luz

Tive uma profunda experiência com a energia espiritual há alguns anos. Eu estava em meu escritório, me sentindo meio deprimido. A maior parte de nós já experimentou esse tipo de sentimento em algum momento da vida, principalmente pessoas muito sensíveis à condição humana. A sensação perturbadora causada pelos problemas do mundo, somada à consciência da insensibilidade e da incompetência das autoridades, estava me corroendo por dentro. Eu estava lá, avaliando minha vida e me indagando se estava fazendo o bastante para mudar a mente e a atitude das pessoas. Será que eu estava dando a devida atenção às partes mais sombrias do planeta?

De repente, percebi com o canto do olho que havia uma luz no piso do recinto. Primeiro achei que fosse um raio de sol, mas, olhando pela janela, só vi nuvens. Então experimentei a sensação incrível de um clarão atrás de mim e me virei para olhar. Fiquei perplexo com o que vi. Era um tipo de ser, mas sua forma e suas características não eram a de um humano. Tratava-se simplesmente de uma energia estável. Senti-me impelido a ir até o espelho e olhar para mim mesmo. Ouvi palavras que diziam: "Sinta sua energia, sinta quem você realmente é, não deixe sua mente terrena distorcer a verdade." Olhei para o espelho e vi uma luz verde brilhante emergindo do centro do meu peito. O verde era tão vibrante e tão indescritivelmente bonito que trouxe lágrimas aos meus olhos. Naquele momento, tomei consciência de minha própria compaixão e imediatamente pensei: "Não preciso esconder minha luz só porque há uma crueldade tão avassaladora no mundo."

Foi uma experiência profunda que me lembrou mais uma vez da minha herança espiritual e da minha missão na vida. Pensei na primeira sessão que fiz e no efeito que ela exerceu sobre outro ser humano. Pensei na minha decisão de desistir de um emprego bem remunerado no ramo de seguros e me arriscar no desconhecido para me tornar um porta-voz do mundo espiritual. Sempre senti uma energia amorosa vinda dos espíritos, e isso mudou minha vida. Eu sabia que essa energia também poderia mudar a vida dos outros.

Nesse dia específico, testemunhei a energia espiritual de uma forma completamente diferente da que eu estava acostumado. Mas eu sabia que aquilo era, também, o grande amor capaz de curar o mundo. Desde então, tenho compartilhado a "luz verde" na maior parte de minhas meditações, e as pessoas me dizem que esses momentos com a luz lhes dá consciência e compreensão para lidar com questões difíceis e acaba trazendo mudanças profundas para suas vidas.

Como sentir a energia

Aqui está uma maneira muito simples, rápida e fácil de você experimentar a sensação de sua própria energia. Para começar, balance os braços. Isso ajuda você a se soltar e relaxar. Coloque as mãos à frente do corpo, mantendo cerca de meio metro de distância entre elas, com as palmas voltadas uma para outra. Feche os olhos e tome consciência completa e total apenas do espaço entre as palmas de suas mãos. Depois de vários segundos, comece a aproximar lentamente as mãos. Preste atenção ao que acontece no espaço entre elas. Enquanto as move lentamente para ficarem juntas, você começará a sentir uma força magnética emanando das palmas. Essa sensação talvez lembre a você a atração de dois ímãs quando segurados um na frente do outro. À medida que for aproximando mais as palmas das mãos, você sentirá um formigamento mais intenso. Essa é a sensação da energia. Familiarize-se com ela e será capaz de reconhecê-la. Brinque com a energia invisível como se estivesse brincando com uma bola. Una as palmas de suas mãos e depois as afaste como se estivesse tocando acordeão. Note que a energia – essa força – é extremamente sutil e sensível. Para perceber a energia, você deve tomar consciência de sua "leveza".

Outro exercício energético que ensino requer duas pessoas. Peça ao seu parceiro que fique em pé a cerca de um metro de distância, com as costas viradas para você. Peça-lhe que feche os olhos, que relaxe e se sintonize com o próprio corpo, percebendo como se sente. Fique atrás de seu parceiro e estenda suas mãos com as palmas viradas para as costas dele. Faça um movimento lento de empurrar, movendo as mãos para frente e para trás, na direção das costas de seu parceiro. Seja paciente e continue. Depois de alguns minutos, você vai notar que o corpo dele está começando a se mexer para frente e para trás, acompanhando o movimento de suas mãos. Você está manipulando a energia que cerca seu parceiro (conhecida como a aura da pessoa) com a energia de suas mãos.

Não é preciso usar as mãos para enviar energia. Também podemos enviá-la através de pensamentos, preces e intenções. A energia do pensamento é chamada telepatia. Com que freqüência você já pensou em alguém e, cinco minutos depois, essa pessoa telefonou? Você está utilizando energia telepática para se conectar a ela. Com freqüência, quando as pessoas estão doentes, enviamos preces e pensamentos bons para elas. Ao fazer isso, estamos direcionando energias positivas. A energia do pensamento é a maneira mais rápida de fazer contato com qualquer um, vivo ou morto.

Outro exercício que uso em meus workshops consiste em captar a energia de outra pessoa – ou "entrar na mesma freqüência de onda da outra pessoa". Peço aos alunos para entrarem em um estado meditativo e procurarem se desapegar de tudo o que os cerca. Depois peço-lhes para se concentrarem em um indivíduo, primeiro através da visualização do rosto da pessoa, como se estivesse bem na frente deles. A seguir, com a visão da mente, eles devem agir como se estivessem com a pessoa, conversando em detalhes a respeito de algo. No fim da conversa, devem instruir a outra pessoa a lhes telefonar. Depois desse exercício, digo aos alunos para esperarem 24 horas até que o outro entre em contato com eles. Quando a pessoa telefonar, devem perguntar qual é o motivo da ligação. É muito interessante observar se a pessoa vai citar a conversa que se deu na meditação. Vários participantes de workshops já me afirmaram que essa prática funcionou com eles.

Esse é um exercício que mudou o ponto de vista de muita gente a respeito da energia espiritual. Dependendo de sua habilidade de sentir e de controlar sua energia, você poderá começar a se sintonizar praticamente com qualquer coisa.

Como sintonizar a energia de um espírito

Ao longo de muitos anos viajando para países do mundo todo, meus olhos psíquicos captaram energias tanto boas quanto ruins. Muitas vezes vejo a face de um espírito cobrindo uma face humana, sem que a pessoa tenha a menor idéia do que está se passando, apesar de ter permitido que essa energia penetrasse em seu espaço. Nesses momentos sinto vontade de sacudir a pessoa, como que para despertá-la. Não sinto medo quando vejo esses espíritos sombrios e não evoluídos, mas de vez em quando eles aparecem de repente, e me surpreendem, como no episódio que relatarei a seguir.

Viajei recentemente para realizar um workshop de 10 dias na Austrália. Sempre percebo que, mesmo que as pessoas sejam diferentes e falem outras línguas, todas são na verdade bastante parecidas. Em uma de minhas tardes livres, saí para fazer compras com meus amigos Ann e Peter. Enquanto andávamos pela rua, vi na vitrine de uma loja de sapatos um par de sandálias que Peter estava procurando. A loja devia ter uns 18 metros quadrados e estava apinhada de gente. Enquanto Peter aguardava na fila do caixa, Ann e eu ficamos esperando.

De repente, comecei a me sentir terrivelmente desconfortável e claustrofóbico, como se as paredes estivessem se fechando em cima de mim. Olhei em volta para procurar Ann, mas ela estava do outro lado da loja, e várias pessoas se encontravam entre nós. A sensação foi piorando, e eu não sabia o que estava acontecendo, mas me sentia muito mal. Quando me dirigi a Peter para dizer que iria esperá-lo do lado de fora, um homem na minha frente terminou de pagar e virou-se para ir embora. Nossos olhos se encontraram e eu quase gritei. Olhando para mim, estava uma caveira sobre o rosto do homem. Senti náuseas e vi que precisava sair da loja imediatamente. Encontrei Ann a caminho da saída e contei o que eu tinha acabado de ver. Fiquei apontado para o homem que já havia saído da loja e se afastava.

– Ele está possuído – disse a Ann.

Finalmente, Peter saiu da loja e, enquanto eu ainda sentia o impacto da visão, ele nos disse:

– Tem algo errado com aquela loja. Acho que é uma fachada para venda de drogas. Senti uma energia muito estranha.

Então contei o que tinha visto e como tinha me sentido.

– Eu também me senti assim – Peter confirmou.

Mais tarde, quando pensamos no assunto novamente, percebemos que Peter podia estar certo. Talvez existisse algo além de sapatos no quartinho dos fundos.

Enquanto avançávamos pela rua, sugeri que fizéssemos um determinado exercício para eliminar o que quer que pudéssemos ter pego na loja de sapatos. Pedi que Peter e Ann imaginassem ímãs conectados às solas de seus pés. Os ímãs tinham o poder de puxar qualquer energia pesada e escura para fora de seus corpos, através dos pés, e mandá-la direto para o solo. No solo, essa energia sombria seria absorvida e neutralizada. Depois desse simples exercício, nos sentimos um pouco mais leves e muito aliviados.

O sistema de energia do corpo

Imagino que, a essa altura, você já esteja começando a entender o que é energia e como pode senti-la. Também quero que você tenha consciência do sistema de energia que funciona no seu próprio corpo. É muito semelhante ao do disco rígido de um computador. O sistema energético do seu corpo é feito de energia que flui para cima e para baixo na sua coluna, espalhando-se para vários centros do corpo. Cada um desses centros funciona como gerador para uma parte diferente do corpo. Quando há uma quebra nesse fluxo de energia devido a um trauma emocional, mental ou espiritual, a energia com freqüência diminui ou trava. Uma carência de força vital pode mais tarde se tornar uma anormalidade como dor, desconforto ou doença. É importante se familiarizar com o sistema gerador de energia do corpo, conhecer os sete chakras (ou centros psíquicos) principais. Cada chakra gira como uma bola de luz colorida e corresponde a uma das partes do nosso ser.

1. Na base da coluna vertebral está o primeiro chakra, o chakra base. Como essa energia é a mais próxima da Terra, ele é vermelho, a cor da Terra. Este chakra está ligado ao nosso

instinto de sobrevivência e às necessidades básicas. Quando nos concentramos no chakra base, conseguimos retirar energia da Terra através desse centro, para nos dar força e vitalidade.

2. O próximo centro é o chakra sacro, localizado cinco centímetros abaixo do umbigo, na região da pelve. Esta área é nosso centro intuitivo. Como está associado aos sentimentos e emoções básicas, é uma fonte de clarissensibilidade, ou "sentimentos claros". Está ligado à cor laranja. Fisicamente, esse centro corresponde aos nossos órgãos sexuais, ao baço e à bexiga e pode ser um repositório emocional para mágoas.

3. O terceiro chakra fica localizado cerca de cinco centímetros acima do umbigo, no plexo solar. Ali as emoções são mais refinadas. Este chakra está relacionado ao estômago e à digestão. É também um depósito emocional para a raiva e a depressão. Esse chakra de cor amarela conecta o fio de prata que une o corpo físico ao espiritual. Quando dormimos e sonhamos, ou quando empreendemos uma viagem astral, é o nosso corpo etéreo que faz tudo isso. Quando morremos, o fio se rompe, o corpo material perece e o espiritual está livre para seguir em frente.

4. A energia superior começa no chakra do coração. Este centro vibra na cor verde. Localizado na região central do peito, ele está associado ao coração, ao timo e à circulação sanguínea. É o centro do amor, da compaixão, da confiança e da capacidade de doar, de receber e de nutrir. Quando o chakra do coração está bloqueado, a pessoa pode sentir falta de amor por si mesma ou pelos outros.

5. O chakra da garganta vibra na cor azul e está localizado na área do pescoço. Através dele, junto com o do plexo solar e o do baço, os médiuns são capazes de ouvir as vozes dos espíritos, e os espíritos podem usar esses canais para se expressar com suas próprias vozes. Fisicamente, é o centro da expressão criativa, da voz, da garganta, da boca, da tireóide e do hipotálamo. Problemas emocionais que se prendem a essa área normalmente estão relacionados a sensações de impotência em expressar o verdadeiro eu.

6. O chakra do terceiro olho fica localizado na testa e vibra na cor índigo ou azul-escuro. Concentrar-se no terceiro olho durante a meditação ajuda a desenvolver a consciência espiritual. Este centro, que é utilizado para visualizar auras e espíritos, corresponde fisicamente aos nossos olhos e às glândulas pineal e pituitária, localizadas no cérebro. O terceiro olho é o portal para os reinos espirituais.

7. O chakra coronário vibra no topo e acima da cabeça. É ali que está alojada nossa consciência espiritual, de iluminação, de misticismo e de proteção. Concentre-se na cor púrpura quando meditar sobre esse chakra. Fisicamente, ele corresponde à coluna cervical, ao sistema nervoso central e ao córtex cerebral. Quando trabalhamos com os espíritos, vale a pena canalizar a luz através do chakra coronário para nos protegermos de energias não desejadas.

O exame do corpo

Em 1989, eu estava prestes a começar uma sessão com uma cliente chamada Judy quando percebi que ela estava completamente descontrolada. Para acalmá-la antes de começar, eu a guiei por uma meditação. Ao examinar a força vital de Judy, intuitivamente detectei um bloqueio. Visualizei uma substância pegajosa e amarronzada colada ao seu útero. Parecia o que chamo de nó emocional. Percebi imediatamente que Judy tinha algumas questões emocionais não resolvidas e isso estava desequilibrando seu corpo físico. Se ela não se tratasse, esse nó poderia acabar se tornando um tipo de câncer.

Perguntei a Judy se já sentira dor ou desconforto naquela área.

– Sinto de vez em quando, mas não tenho certeza do que é.

Perguntei se ela já havia perdido um filho e se sentia responsável por essa perda.

Judy abaixou a cabeça e sussurrou:

– Perdi, sim, foi um menino que morreu há três semanas.

Os médicos disseram que o bebê morrera devido à síndrome da morte súbita infantil.

Expliquei a Judy o seguinte:

– Seu filho está bem. Fazia parte da evolução da alma dele passar por essa experiência. Foi uma oportunidade para que a alma de seu filho evoluísse. Você fez parte dessa experiência de aprendizado espiritual e não deve se sentir culpada. A culpa só vai causar problemas no seu corpo.

Judy parecia compreender.

Enquanto eu continuava explicando como as almas evoluem e se desenvolvem, percebi que a massa de energia corrosiva marrom estava começando a se dissolver. Dava para ver a força vital de Judy fluindo para aquela área, como deveria acontecer. No fim do nosso encontro ela parecia mais jovem e me disse o seguinte:

– Eu me sinto energizada. Há muito tempo não me sentia assim.

Sorri e desejei que ela seguisse seu caminho em paz.

A casa de cura

Todos nós já estivemos próximos de pessoas positivas e cheias de amor. Faz bem estar perto delas, pois sua alegria é contagiante. Uma pessoa com pensamentos de amor e de luz atrai outras que pensam da mesma forma. É difícil viver sempre assim, porque nosso mundo físico está cheio de desafios e de obstáculos, mas o amor é nosso estado natural e a maior força que existe. Ele supera a escuridão, o desequilíbrio e a desarmonia. Quanto mais nos esforçarmos para manter o pensamento positivo, mais agradável será nossa jornada pela vida.

Ao longo dos anos, tive a bênção de conhecer alguns profissionais incríveis que trabalham com cura e que são mentores espirituais. Eles me revelaram experiências extraordinárias. Quero compartilhar com vocês duas ocasiões em que energias positivas de amor resultaram na manifestação de seres altamente evoluídos.

Lilia Begette era uma dona-de-casa canadense, uma das pessoas mais adoráveis e amorosas que já conheci. Quando jovem, costumava ler mensagens para as amigas utilizando folhas de chá, e era incrivelmente precisa em suas visões. Anos mais tarde, depois que seu marido morreu, Lilia sentiu a necessidade de fazer algo que tivesse um impacto profundo sobre os outros. Comprou uma casa em um bairro residencial, e começou a dar aulas de metafísica. Durante uma dessas aulas, a vida de Lilia mudou para sempre. Um guia espiritual apareceu e disse que ela deveria preparar sua casa para ser um centro de cura. Lilia compartilhou essa mensagem com alunos e amigos e logo começou a reformar a casa, derrubando paredes para transformar os cômodos em enormes espaços de cura. Um quarto foi todo decorado de rosa, desde as paredes até as 12 camas, que receberam lençóis e cobertores rosa. Lilia reservou esse quarto para qualquer pessoa que parecesse estar sofrendo de problemas emocionais. Ali a energia era de amor incondicional. Outro quarto foi todo decorado de verde, uma cor que simboliza a energia curativa.

Fui levado até Lilia por minha amiga Pat. Quando tive a felicidade de conhecê-la, ela já estava com 81 anos de juventude. Eu era capaz de sentir sua energia amorosa e sua poderosa habilidade psíquica. Conversamos um pouco sobre suas experiências com o trabalho espiritual e sobre nossas filosofias de vida e de morte. Lilia explicou como fora guiada a criar esse incrível centro de cura.

– Não sei explicar exatamente o que acontece nesses quartos – disse ela. – Eu apenas acomodo as pessoas na cama, faço uma prece e deixo o resto por conta dos que estão lá em cima. Quero que você sinta por si mesmo essa energia.

Lilia nos conduziu para o quarto verde. Havia duas pessoas acomodadas nas camas, uma jovem e um homem mais velho. Lilia nos disse para escolher uma cama e nos deitarmos, enquanto ela examinava os dois outros pacientes. Tirei os sapatos e me enfiei debaixo das cobertas, pronto para tirar um cochilo. Pat também deitou em uma cama e ficou esperando por Lilia, que rezava ao lado da moça. Virei a cabeça e me surpreendi ao ver, no centro da sala, uma longa fila de espíritos vestidos com roupas de médico. Quando Lilia terminou suas preces e passou para o homem mais velho, a equipe de médicos espirituais foi trabalhar na jovem, ministrando sua energia curativa. Foi uma visão inacreditável.

Depois, Lilia veio até a minha cama e murmurou diversas preces, mas a única que reconheci foi o Pai-Nosso. Cobriu-me com cuidado e dirigiu-se para Pat. Fechei os olhos. Passados uns bons minutos, senti um brilho quente ao meu redor. Ao abrir os olhos, deparei com um médico espiritual me olhando. Três outras pessoas (uma enfermeira e dois médicos), também de jaleco branco, estavam ao lado dele. As mãos do médico rodeavam minha nuca e pareciam ajustar algo ali. Imediatamente senti uma mudança no meu corpo físico e fechei os olhos para absorver aquilo. Dava para sentir a equipe de médicos espirituais tocando nas minhas costas, e meu abdome se movia para cima e para baixo, enquanto algum tipo de ajuste era feito. Olhei para Pat e percebi que seu corpo também se movia para cima e para baixo. Enquanto a equipe trabalhava em mim, eu experimentava uma incrível sensação de paz, leveza e equilíbrio em todo o corpo. Fechei os olhos e relaxei. Vinte minutos depois, Pat e eu nos entreolhamos: sabíamos que o processo tinha terminado. A energia no quarto havia se dissipado e estava na hora de partir.

Sentados na sala de estar, conversamos durante muito tempo com Lilia. Ela nos disse:

– Eu rezo para ajustar a energia do quarto e para que o tratamento tenha início. Minha intenção é receber aqueles que curam para que utilizem o espaço que criei.

Olhei para Lilia e afirmei:

– Funciona.

Para salvar os filhos

Uma experiência semelhante aconteceu recentemente, durante uma semana em um retiro de cura no monte Shasta, na Califórnia. Dois homens, Raoul e Jorge, tinham vindo da Colômbia especialmente para esse evento. Eles tinham muito em comum: eram cunhados que viviam na mesma cidade e ambos tinham perdido filhos de maneira trágica. Desejavam ardentemente se comunicar com os rapazes. Quando começou a parte do seminário dedicada à troca de mensagens, meus guias espirituais rapidamente me conduziram até Raoul. Ao seu lado, estava o filho falecido.

Metade da cabeça dele tinha sido dilacerada por um tiro. Os espíritos freqüentemente me mostram a forma como morreram, e as imagens de ferimentos causados por armas de fogo ou por queimaduras podem ser bastante perturbadoras.

Perguntei a Raoul:

– Seu filho levou um tiro em um carro?

Ele confirmou.

O filho dizia:

– *Meu pai precisa de conserto.*

Enquanto eu prosseguia, o filho de Jorge também apareceu. Ao contrário do outro rapaz, ele não me mostrou a forma de sua morte. Seu corpo estava coberto de tatuagens que lhe davam um aspecto bastante ameaçador.

Perguntei a Jorge:

– Seu filho era integrante de uma gangue?

Ele também confirmou.

O filho de Jorge mascava chiclete, numa atitude arrogante. Não parecia arrependido de nada. Aparentemente tinha sido assassinado por um integrante de uma gangue rival. Perguntei-lhe se era isso que tinha acontecido. Ele me respondeu:

– *É, isso aí.*

Jorge confirmou a mensagem. Abaixou a cabeça e murmurou algo para si mesmo, ininteligível para mim.

O outro espírito olhou para mim e disse:

– *Ajude meu pai, por favor. Ele está se sentindo culpado.*

Perguntei a Raoul:

– Você se sente responsável pela morte de seu filho?

– Sim, eu me sinto.

Expliquei a Raoul:

– Você não teve nada a ver com a morte de seu filho.

Não havia meios de convencê-lo. Ele não conseguia aceitar que estava livre de culpa.

De repente, três espíritos médicos apareceram, parecendo formar uma equipe de cirurgiões. Um deles, de cabelos brancos e olhos de um azul profundo, moveu a mão na minha direção, pedindo que eu parasse com a transmissão das mensagens, para que eles pudessem agir. Expliquei a todos que uma equipe de médicos espirituais tinha vindo curar Raoul, parei de falar e deixei que os médicos fizessem seu trabalho. Os espíritos se aproximaram da região dos intestinos de Raoul. Todo o seu abdome estava manchado de marrom e preto.

Para validar sua descoberta, o médico de cabelos brancos pediu que eu checasse com Raoul se ele vinha tendo problemas de digestão recentemente. Raoul confirmou:

– Sim, tenho dores de estômago.

A equipe espiritual fez uma cirurgia em Raoul. Dava para ver, em seu corpo etéreo, que o segundo e o terceiro chakras tinham apodrecido devido à culpa que ele sentia pela morte do filho.

Todos ficaram em silêncio enquanto a equipe de médicos removia o lixo emocional do abdome de Raoul. Assisti a tudo assombrado. Eles terminaram em cerca de cinco minutos. Percebi que o filho de Raoul tinha mudado. A ferida causada pelo tiro desaparecera, e vi um rapaz alto, de olhos castanhos, que parecia bastante tranqüilo. Foi uma visão comovente. Essa experiência também demonstrou para mim o que pode acontecer com nosso corpo energético se não resolvermos nossas várias perturbações emocionais.

No fim do evento, os dois pais colombianos vieram até minha mesa. Percebi que seus filhos estavam ali, um de cada lado. O filho de Raoul usava uma camisa branca reluzente e trazia no rosto um sorriso tão radiante quanto a roupa. Todo o amor que emanava dele mostrava o orgulho que sentia do pai. O filho de Jorge, que anteriormente tinha aparecido coberto de tatuagens, mostrou os braços para mim. Enquanto seu corpo espiritual se transformava diante de meus olhos, as tatuagens desapareceram, seu peso aumentou e seu cabelo voltou a crescer. A postura arrogante desaparecera, e ele também exibia um sorriso radiante e olhos brilhantes.

Naquele momento, Jorge disse:

– Obrigado, James. Agora eu sei que meu filho continua vivo.

Quando os espíritos sugam a sua energia

Assim como existem curandeiros energéticos, também existem seres que sugam energia. Esses sugadores de energia estão em toda parte, e não estou falando apenas de espíritos. Você certamente conhece alguém que está sempre deprimido, com raiva do mundo e de mau humor, que é ciumento, pessimista, hesitante e manipulador, que tem sede de poder e em quem não se pode confiar. Considero esses indivíduos verdadeiros vampiros psíquicos, porque, com suas atitudes negativas, eles inconscientemente sugam a vida. A maior parte não tem consciência de que sua energia prejudica as pessoas que cruzam seu caminho. São capazes de nos deixar exaustos, deprimidos e debilitados.

Os vampiros psíquicos geralmente só pensam neles próprios e se acham muito importantes. Suas atitudes negativas fazem diminuir a velocidade de suas vibrações e atraem energias espirituais pouco evoluídas. Espíritos assim são capazes de sugar a energia mesmo de equipamentos elétricos, como televisões, rádios, microondas, lâmpadas e telefones: eles puxam a energia do campo eletromagnético que há em volta desses utensílios. Mas, como esses aparelhos não têm carga suficiente, os espíritos precisam buscá-la em outro lugar. A maior fonte de energia para eles são os seres vivos. Você! O corpo humano tem o tipo exato de circuito elétrico familiar aos espíritos, por isso é fácil para eles se conectarem à nossa energia e absorvê-la. Fazem isso através dos buracos e vazamentos que aparecem no sistema de chakras do indivíduo quando ele está enfraquecido e debilitado por pensamentos e atitudes negativas.

Quando as energias desses espíritos se ligam a seres humanos, elas podem ser muito assustadoras. Um bom exemplo disso foi o que vi na loja de sapatos. Você ficaria chocado se conhecesse as maneiras pavorosas como as pessoas se comportam quando são influenciadas ou mesmo quando estão possuídas por entidades sombrias e não evoluídas. Esses espíritos podem se ligar a seres humanos simplesmente para sugar sua energia. Qualquer forma de problema de saúde crônico pode ser um sinal de fixação espiritual. Infelizmente, pessoas que sofrem com esses encostos não associam nenhum de seus males à sua própria mentalidade negativa. Mas esse parasitismo é capaz de sugar energia a ponto de fazer com que os vivos sofram acidentes, ferimentos e outros infortúnios.

Isso é show business!

Como eu disse antes, trabalhei muitos anos na televisão, como apresentador e produtor. Conheci algumas pessoas incrivelmente agradáveis, leves, maravilhosas e amorosas – executivos, integrantes das equipes dos programas e personalidades do cinema. Mas é impossível para alguém com poderes psíquicos como eu conviver com essas pessoas sem testemunhar cenas perturbadoras envolvendo alguns dos personagens mais badalados de Hollywood. Muitos alcançaram o sucesso impulsionados por motivações maldosas. Não têm qualquer escrúpulo para atingir seus objetivos. Desconhecem a integridade e o respeito por outros seres humanos. São consumidos pela sede de poder e pela gratificação do ego. Essas pessoas são capazes de atingir o poder, mas o custo freqüentemente será muito elevado.

Quando eu era criança, adorava o musical *Damn Yankees,* que conta a história de um jogador de beisebol que faz um acordo com o diabo para que seu time vença o campeonato. Hollywood me lembra muito *Damn Yankees*. Tanta gente vende a própria alma, a identidade e a moralidade para adquirir poder! Não sabem que com isso ateiam um fogo que acabará queimando incontrolavelmente. A necessidade de poder é criada pelo medo, que pode ser uma das forças mais destrutivas que conhecemos.

Toda vez que tenho de ir a algum lugar de Hollywood onde há muitas pessoas reunidas, como à entrega de um prêmio, faço uma série de exercícios de meditação e visualização antes de sair de casa. Descobri que esse ritual me protege de qualquer espírito inferior ou forma de pensamento perdida que esteja vagando por lá, procurando um lugar para se apegar. Como repito em todos os meus livros, os semelhantes se atraem. Se você for uma boa pessoa, nada de natureza inferior irá incomodá-lo. Mas, quando se está em meio às personalidades inseguras de Hollywood, proteção nunca é demais. O ritual demora cerca de cinco minutos, e houve um dia em que fiquei muito feliz por tê-lo feito, porque o que eu estava prestes a experimentar era muito ruim.

Havia um produtor de TV completamente inescrupuloso que trabalhava em um grande estúdio. Ele tinha o hábito de mentir para conseguir o que queria, sempre dando a desculpa de que "isso é melhor para o programa". Mas na verdade só fazia o que era melhor para ele mesmo, pouco se importando com o prejuízo que causava aos outros. Explorava ao máximo seus assistentes, mas ficava com todo o crédito do sucesso. Tenho certeza de que muitos de vocês já trabalharam para alguém assim: um chefe movido a egoísmo e ambição.

Nesse dia específico, eu estava caminhando pelo corredor do estúdio quando senti um fedor insuportável. Era um cheiro de enxofre ou de ovos podres.

– Ei, James, como vai?

Virei-me e dei de cara com aquele produtor arrogante. Imediatamente recuei para deixá-lo passar. Só de sentir sua energia, minha pele se arrepiou, e fiquei perplexo com o que vi. Sombras escuras e sujas e formas que pareciam cobras se projetavam do topo de sua cabeça. Em suas costas, as formas pareciam facas ou espadas, como se ele fosse um porco-espinho. O que pensei instintivamente foi que as espadas talvez fossem formas de pensamento negativo lançadas por pessoas a quem ele prejudicara. Afastei-me e fui me refugiar em meu escritório, onde anotei o que havia testemunhado.

Era óbvio que esse produtor não tinha idéia das formas de pensamento negativo que carregava nas costas. Essas energias provavelmente ainda levariam muitos anos para surtir efeito em seu corpo, mas quem pode ter certeza? Quanto mais ele se envolvesse com o mal e quanto mais desrespeito e insensibilidade demonstrasse para com os outros, mais poder esses encostos provavelmente acumulariam, deixando-o exposto a algo muito pior, que é a possessão.

Possessão

Quem não se lembra do filme *O exorcista?* Depois de assisti-lo, passei semanas sem conseguir dormir com as luzes apagadas. No filme, a menina está possuída por um demônio. Sua personalidade muda completamente e ela se torna irreconhecível até para a própria mãe. É claro que as partes assustadoras do filme são meio exageradas e muito mais dramáticas do que qualquer caso real de possessão que eu já tenha testemunhado. No entanto, apesar de a possessão não incluir necessariamente vômito verde, energias espirituais podem realmente entrar na esfera de uma pessoa e influenciá-la de forma muito negativa. Na realidade, a maior parte das possessões é tão sutil que às vezes é difícil acreditar que uma pessoa está se comportando de forma diferente do normal (provavelmente porque o "normal" da pessoa, assim como acontece com o produtor de TV que acabei de descrever, já é bem negativo).

Pessoas que abusam de álcool e drogas e que continuamente usam substâncias tóxicas são alvos fáceis para energias de espíritos não evoluídos. Os espíritos as dominam para experimentar novamente a satisfação física e as viagens alucinatórias que deixaram para trás. Todo mundo já ouviu a expressão "ele não é ele mesmo quando bebe". Isso tem um forte significado. Um alcoólatra que teve sua energia dominada por um espírito não age como ele mesmo. É o espírito quem comanda.

A possessão ocorre com muito mais freqüência do que imaginamos. Acredito que assassinos, estupradores e pedófilos também se enquadram nessa categoria. Vi muitas pessoas que agem com fúria enorme que estão sob a influência de um ou dois desses espíritos.

Quando O. J. Simpson estava sendo julgado por assassinato, tive a nítida sensação de que ele estava influenciado e possuído por uma entidade de baixa freqüência espiritual. Por isso, quando ele diz que não estava na cena do crime, está afirmando que não estava presente em nível consciente. A parte dele possuída penetrou em seu campo energético e assumiu o controle. Já notei que Simpson continua cercado de espíritos não evoluídos, e que ainda está enfrentando esses demônios. Prevejo que sua vida terá um fim violento.

Possessão não é desculpa para as ações de ninguém, porque a pessoa precisa se encontrar em um determinado estado para que ela possa ocorrer. A maioria de nós não precisa se preocupar, porque somos pessoas boas e temos sistemas de defesa naturais formados por nossos pensamentos de amor e por nossas ações positivas. Mas... e os possuídos?

Nós todos já fomos a lugares que achamos perturbadores, inseguros e ameaçadores. Voltamos desses lugares nos sentindo mal, normalmente sem saber por quê. O mesmo ocorre no contato com determinadas pessoas. A maioria de nós já esteve com pessoas negativas que tendem a nos colocar para baixo. Imediatamente depois de nos afastarmos dessas pessoas, percebemos que estamos nos sentindo deprimidos ou irritados, sem identificar a causa. Isso acontece porque nascemos com um sentido inato (nosso sexto sentido) para captar a energia que nos cerca.

Todos os dias somos bombardeados por energia. Uma enorme quantidade dela consiste das sobras dos pensamentos dos que nos cercam. Esses pensamentos atraem uma multidão de espíritos até nós ou fazem com que eles se afastem. Se alguém tem um problema com drogas ou está em depressão há muitos anos, essa energia atrai entidades de baixo nível espiritual que se alimentam da energia depressiva, que é pesada e negativa. Se os espíritos puderem, vão se conectar a essa pessoa e sugar toda essa energia negativa, fazendo-a aumentar cada vez mais.

Existem certos locais e áreas nas cidades que são habitados por inúmeros espíritos de baixo nível espiritual. Pode-se dizer que tais lugares são poderosos epicentros de energia negativa. Esses espíritos podem ter sobre os vivos graus de influência variáveis, que vão desde uma leve drenagem energética até a possessão total (mas isso é extremamente raro).

Alguns dos sinais que denunciam a presença próxima de um espírito de baixo nível espiritual são:

- Ouvir vozes.
- Desejo repentino e irrefreável de consumir álcool, cigarros e drogas, em especial depois de cirurgias ou de eventos traumáticos.
- Ganho de peso súbito, principalmente após cirurgia ou evento traumático.

- Medos e fobias.
- Mudanças repentinas de comportamento, tais como aumento da raiva, da depressão e de pensamentos suicidas.
- Doenças sérias com causas desconhecidas.
- Perda de energia.
- Problemas de concentração e de memória.
- Manifestações físicas sem explicação (tais como odor com causa indeterminada).
- Enxaquecas.
- Terrores noturnos e pesadelos.
- Ataques de pânico ou ansiedade.
- Personalidades múltiplas.

A maioria de nós está livre do encosto de espíritos negativos, mas todos precisamos ter consciência de sua existência, porque qualquer um pode ser, vez ou outra, influenciado por eles. Quais são as pessoas mais vulneráveis? Em primeiro lugar, aquelas que não cuidam bem da própria saúde. Em segundo, as viciadas em álcool e drogas. E, por último, as que procuram controlar as demais, como os integrantes de gangues. Essas pessoas são mais predispostas a influências negativas.

A aura é a defesa natural contra tais invasões. Se mantiver sua aura forte, você vai garantir que os espíritos de freqüência inferior não se apeguem a você. Eu examino meu corpo diariamente para ter certeza de que a minha energia está bem. Muitas vezes, imagino uma luz verde emanando do meu coração, projetando-se à minha frente e a todo o meu redor. Essa luz verde representa cura e amor. Afirmo mentalmente minha intenção: "Estou em estado de perfeita saúde e cheio de amor." Essa é a maneira mais segura de me certificar de que não há parasitas negativos no meu espaço.

Assim, quando estiver andando a pé, pare, vire e olhe em

volta. Tome consciência do seu ambiente. Está sentindo uma corrente de ar frio batendo na nuca? Ouve alguém que não se encontra por perto? Perceba qual é a energia ao seu redor. Isso pode surtir efeito sobre seu corpo, sua mente e sua perspectiva geral em relação à vida.

Comece a fazer mudanças significativas em sua vida agora mesmo. Torne-se mais cauteloso com seus pensamentos, tanto em relação aos que você envia aos outros quanto ao que você verbaliza. Preste mais atenção nas pessoas com quem faz amizade, nos lugares onde você passa a maior parte do seu tempo, no tipo de trabalho que faz e até onde mora.

Lembre-se que há muitas energias, tanto mortas quanto vivas, em que você precisa prestar atenção, porque nem todas lhe favorecem. Da próxima vez que tiver uma sensação estranha e perturbadora sobre alguém ou algum lugar, cerque-se de luz e saia rapidamente de perto deles. Cabe a você se proteger das energias indesejadas.

Nem todos os espíritos são negativos. Alguns desejam intensamente exercer influências benéficas sobre nossa vida. A maneira correta de atrair esses espíritos é com a nossa própria energia positiva.

sete

Como os espíritos se comunicam

É necessária muita energia para um espírito fazer algo se manifestar no plano físico. É aí que entra nossa participação. Quanto mais dispostos estivermos a nos abrir à existência de espíritos e a desenvolver nossa capacidade de comunicação com eles, mais os espíritos irão se revelar. Os espíritos tentam se comunicar conosco de diversas maneiras: com variações de temperatura, sons de batidas, aromas conhecidos e identificáveis, como tabaco ou um determinado perfume, alterações na corrente elétrica de lâmpadas, rádios, televisores ou telefones, e assim por diante. Eles manipulam a matéria e a energia e com isso são capazes de fazer coisas se moverem, de nos transmitir informações por meio de pessoas e animais e de quebrar nossa rotina. Os espíritos usam qualquer coisa para chamar nossa atenção. Sempre fico perplexo quando as pessoas compartilham comigo suas experiências de encontros com espíritos, porque quase sempre é algo novo para mim. Os espíritos são engenhosos porque não estão aprisionados à natureza terrena: sua criatividade não tem limites.

Evelyn, uma mulher que participou de um dos meus workshops, disse que, depois da morte do pai, cada vez que visitava a mãe na casa em que o casal tinha morado durante 30 anos, ainda sentia o cheiro do tabaco impregnado em tudo, por causa dos muitos anos que o pai passara ali fumando.

– Eu disse a minha mãe que mandasse limpar as cortinas e os tapetes para eliminar o cheiro de cigarro. Ela fez isso. Doou as roupas do meu pai e jogou fora todos os cinzeiros. Ainda assim, toda vez que eu ia fazer uma visita, sentia aquele cheiro de tabaco.

– Ele fumava muito? – perguntei.

– Ele começou a fumar aos 9 anos. Nunca o vi sem um cigarro na boca. Havia marcas de queimaduras e manchas nos tapetes e nos móveis da casa toda. Meu pai só foi parar de fumar quando o médico lhe disse que estava com câncer no pulmão.

– Então, você acha que o cheiro de cigarro era o seu pai se manifestando?

– Bom, no começo não achei que fosse. Pensava que a fumaça estava impregnada em tudo. Mas, depois que os tapetes e as cortinas foram lavados, percebi que só podia ser ele.

– Ele ainda está lá?

– Não, o cheiro sumiu mais ou menos um ano depois que ele morreu. Acho que meu pai só queria dar um tempo para ver se a minha mãe iria ficar bem.

Mostre-nos um sinal

Por que os espíritos desejam se comunicar conosco? Os espíritos são iguaizinhos a nós, e seus motivos são diversos, mas parece que a razão mais comum para um espírito querer entrar em contato é para ajudar sua família enlutada. Logo depois que a pessoa passa para o outro lado, sente a dor e o sofrimento de seus parentes. O que o espírito deseja é simplesmente informar à família que *não está morto*, mas plenamente vivo, e por isso fica por perto. A maioria das famílias está em tal estado de choque ou tão envolvida com o funeral que não percebe seus entes queridos tentando chamar sua atenção. É como se não ouvíssemos a campainha do telefone e o deixássemos tocar e tocar. Os espíritos sentem uma grande frustração quando não conseguem se comunicar com seus entes queridos.

Minha irmã Lynn e eu ficamos muito perturbados quando nosso pai morreu, mas sabíamos que ele estava perto de nós. Durante o velório, eu o vi várias vezes e também recebi muitas mensagens reconfortantes. Mas Lynn não recebeu qualquer mensagem. Quando colocamos a casa de papai à venda, Lynn e eu entramos no imóvel para dar nosso último adeus. Passamos de cômodo em cômodo e cada um deles nos trazia recordações de uma certa época. Ríamos e chorávamos enquanto nossas lembranças dançavam à nossa frente.

Quando fomos para o quarto de nossos pais, imediatamente sentimos o perfume característico e conhecido da loção pós-barba Old Spice. Era a preferida do meu pai, e nos abraçamos emocionados.

O aroma era inconfundível. Apesar de eu não estar enxergando o espírito de meu pai naquele momento, eu sabia que ele estava tentando nos mostrar que se encontrava ali. Depois de meia hora, percebemos que chegara o momento de deixar as antigas lembranças descansarem. Fomos embora da casa.

Quando entramos no carro, Lynn disse:

– Jamie, espero que estejamos fazendo a coisa certa. – Então ela olhou para o céu e implorou: – Papai, por favor, mande um sinal para mostrar que você concorda com a venda da casa.

Apesar de o médium ser eu, Lynn tem muita habilidade psíquica e sua intuição é bastante forte. Enquanto nos afastávamos da casa de carro, ela insistia:

– Aposto que ele nos mandará um sinal para mostrar que devemos mesmo vender a casa.

Dez minutos depois, quando viramos à esquerda numa avenida, Lynn recebeu o sinal que esperava. Ela exclamou, toda animada:

– Ai, meu Deus! Lá está! É o papai!

Lynn apontou para o carro que estava na nossa frente. A placa era AVP-770K. O primeiro nome do meu pai era Allan. Allan Van Praagh. Suas iniciais eram AVP, as mesmas letras da placa.

Os sinais nem sempre são aquilo que esperamos. Depende de como o espírito consegue transmitir sua mensagem. Muitas vezes são sutis, mas reconhecíveis. E freqüentemente parecem coincidência. Abandonar o pensamento racional e entrar em sintonia com nossa intuição é mais difícil se não estivermos dispostos a aproveitar todas as oportunidades que se oferecem. No entanto, quanto mais abertos estivermos, mais fácil será reconhecer os entes queridos que tentam fazer contato conosco.

A figurante

É necessário lembrar que os espíritos conservam a mesma mentalidade que tinham na Terra. Se eram teimosos aqui, continuarão a ser teimosos no além. Eles não vão desistir de se comunicarem até que alguém os escute.

Durante a segunda temporada do seriado *The Ghost Whisperer*, eu estava no set observando a filmagem. A cena daquele dia se passava na praça de uma cidade e havia muitos extras no local. Ao olhar para toda aquela gente, uma coisa chamou minha atenção. Quando uma figurante loura de uns 35 anos atravessou a rua, percebi que havia uma mulher mais velha, de cabelo louro desbotado e usando um suéter azul, que imitava cada gesto da mais nova. A mulher mais velha era um espírito. Fiquei intrigado pelo modo como ela tentava chamar a atenção da mais nova. O espírito cutucou o ombro da moça, assoprou dentro do seu ouvido, despenteou seu cabelo, mas nada disso surtiu efeito.

A mulher mais jovem não conseguia perceber o que se passava, como acontece com a maioria das pessoas. Em um certo momento, o espírito gritou bem na sua frente, mas não adiantou. Eu estava vendo que o espírito tinha alguma mensagem a transmitir e que estava ficando muito frustrado. Essa cena se repetiu uma meia dúzia de vezes.

Quando o diretor finalmente gritou "Corta!", a equipe toda saiu para almoçar. Os figurantes fizeram uma fila na frente do caminhão onde a comida seria servida. Naquele momento, senti vontade de ajudar a figurante loira e por isso fui até a sua mesa e me apresentei.

Ela olhou para mim encantada.

– Sou sua fã – disse ela. – É uma honra trabalhar neste programa. Sabe, é muito esquisito você ter vindo falar comigo. Deve ter algum motivo, não é mesmo?

Sugeri que nos afastássemos e levei-a para um canto vazio do set. Quando nos sentamos, ela se apresentou como Donna.

O espírito que havia aparecido antes surgiu bem na minha frente e fez alguns gestos com a mão.

– *Diga que a culpa não é dela.*

Relatei o que eu tinha testemunhado ao longo da última hora e Donna começou a chorar. Pareceu bastante perturbada, mas eu sei que não cabe a mim julgar as situações. Meu trabalho consiste apenas em transmitir a mensagem, por isso prossegui.

– Ela está dizendo que a culpa não é sua. Você entende?

Donna continuou chorando e o espírito começou a massagear seus ombros. Donna olhou para mim com os olhos cheios de lágrimas e lentamente começou a explicar o que a mensagem significava.

– Minha mãe, Sheila, foi internada várias vezes ao longo de um ano por causa do câncer nos ossos. A doença era terminal e ela sofreu muito.

Fiquei imaginando toda a dor que a mãe tinha sentido.

– Perto do fim, ela entrou em coma, e eu a visitava todos os dias. Era muito difícil ver sua vida se esvaindo lentamente. Eu sabia que ela sentia muita dor, porque estava tomando morfina intravenosa na época.

Donna explicou que a mãe queria morrer com alguma dignidade.

– Uma noite, fui ao quarto dela e soprei em seu ouvido: "Agora você pode ir para casa. Tudo vai ficar bem. Quero que fique em paz."

Donna disse aos médicos que podiam tirar a mãe do aparelho de respiração e, duas horas depois, Sheila morreu.

– Desde então, tenho vivido cheia de culpa e arrependimento, achando que talvez tenha errado. Quem sou eu para mandar desligar os aparelhos? Meu irmão, Jack, me acusa de ter assassinado minha mãe.

Sheila começou a se comunicar comigo por meio de pensamentos. Relatei a Donna o que sua mãe estava tentando transmitir-lhe.

– Sua mãe está dizendo que você fez a coisa certa. Foi um ato de amor. Ela está imensamente grata. Sua motivação foi pura. Sua intenção foi ajudá-la, e não prejudicá-la.

Donna enxugou as lágrimas.

– Sua mãe diz que tem tentando entrar em contato com você há um ano. Você tem um abajur na mesa de cabeceira à esquerda da sua cama?

– Tenho – respondeu ela.

– Sua mãe tem se esforçado muito para manipular a eletricidade e fazer a lâmpada acender e apagar o tempo todo.

– Achei que o abajur estava entrando em curto, por isso o tirei da tomada.

– Sua mãe diz que chegou até a trocar coisas de lugar no seu quarto, como livros. Sumiu algum objeto? Ela está dizendo que mudou de lugar uma foto da sua cômoda.

Os olhos de Donna se arregalaram.

– Então foi ela! Eu não sabia o que tinha acontecido com a foto, achei que tinha derrubado no cesto de lixo sem querer. Fiquei mesmo imaginando por que aquelas coisas estavam acontecendo...

– Agora ela está me falando algo a respeito da lavanderia.

– Minha nossa, eu achei a foto em uma prateleira da lavanderia e fiquei imaginando como tinha ido parar lá.

– E também está dizendo que você sempre perde as chaves.

– É verdade, James. Que coisa incrível. Eu até fiz uma piada, pedindo a minha mãe que as devolvesse.

– Bom, Sheila está me dizendo que sempre muda as chaves de lugar.

– Por que ela faz isso? – Donna quis saber.

– A intenção dela é fazer com que você desacelere e preste atenção. Você anda sempre ocupada e se preocupa demais com tudo. Ela quer que você passe mais tempo fazendo o que gosta.

Donna concordou e começou a rir.

– Sua mãe está aqui porque não consegue seguir em frente sem a sua ajuda. Você tem que deixar a culpa de lado. Você não fez nada de errado.

Então Sheila me falou a respeito de um livro.

– Tem um livro ao lado da sua cama com letras douradas – disse a Donna. – Ele caiu da cama hoje.

– É, caiu mesmo. – Donna começou a chorar de novo. Meneou a cabeça e murmurou: – Não consigo acreditar.

Garanti mais uma vez que estava tudo bem e a abracei.

Donna me olhou nos olhos.

– James, o nome do livro ao qual ela está se referindo é *Letting Go* (Desapegando-se). Minha mãe estava lendo esse livro no hospital. Pensando bem, o livro caiu da mesa pelo menos duas vezes, num momento em que eu estava passando por dificuldades. Achei que minha mãe estivesse zangada comigo. Fico muito feliz por saber que não está.

Sheila continuou falando sobre outros integrantes da família. Donna estava visivelmente aliviada, pois finalmente tinha se livrado do sentimento de culpa.

Ninguém no set de filmagem ficou sabendo o que tinha acontecido entre Donna, sua mãe e eu, nem sobre a linda mensagem de amor e perdão que nós três compartilhamos.

Costumo dizer que não existem acasos. Era meu destino estar no set de filmagem naquele dia. Eu precisava ajudar Donna. O mundo espiritual com freqüência manda aquilo que chamo de "sinal de validação" para mostrar que estamos no lugar certo na hora certa. Meu sinal de validação veio naquele mesmo dia, quando me dei conta de que o episódio que estávamos filmando era sobre uma família que tinha que decidir se desligava ou não os aparelhos de um rapaz em coma. Coincidência? Eu acho que não.

Nós nos veremos em meus sonhos

Sem dúvida alguma, o modo mais fácil que os espíritos têm de se comunicar com um ente querido é por meio dos sonhos. Costumo perguntar em minhas demonstrações:

– Quantos aqui já sonharam com entes queridos que faleceram?

Noventa por cento das pessoas levantam a mão. Algumas são capazes de se lembrar melhor de seus sonhos do que outras. Lembrar sonhos é apenas uma questão de prática.

Visitas em sonhos são bem comuns. No estado de sono, é a mente intuitiva e subconsciente que está no comando. Assim, os mecanismos de defesa que nos impedem de aceitar o mundo invisível estão adormecidos e nós ficamos livres e soltos para penetrar em outras dimensões. Muitos já descreveram as visitas que recebem em sonhos como algo muito concreto. Há uma sensação de que aquilo acontece em um cenário palpável e que a conversa é real. Essas visitas já foram descritas como avisos: um espírito revela alguma informação profética sobre um perigo que se aproxima. Muitas vezes, os sonhos são simbólicos e temos que examinar seu significado com atenção para ter certeza do que eles querem dizer.

Minha tia Anne McLane era a segunda mais velha de oito filhos, em uma família muito unida. Aos poucos, os irmãos e irmãs de tia Anne foram falecendo. Brinco com o meu público dizendo que não é à toa que sou capaz de conversar com os mortos, pois quando eu era criança ia a um enterro por ano. Chamávamos aquilo de "maldição irlandesa", porque o lado materno de minha família era irlandês. Mas enterros também eram ocasiões de reunião da família, e sempre achei bem esquisito o clima meio festivo que se instalava.

Anne foi a última irmã que sobrou. Ela morava sozinha em uma casa antiquada em Mount Morris, uma cidadezinha pequena e decadente no estado de Nova York. Era uma mulher especial: tinha uma fé profunda em Deus e na Igreja Católica, mas era ao mesmo tempo independente e única. Fazia as coisas a seu modo e tinha uma grande curiosidade sobre o mundo e as pessoas. Era gentil e muito agradável, sempre tinha uma palavra carinhosa e deixava todo mundo à vontade. As pessoas se sentiam especiais perto dela.

Infelizmente, em seus últimos anos de vida tia Anne sofreu muito com problemas de artrite e tinha dificuldade para se movimentar. Apesar disso, dizia:

– Jamie, se Deus me deu essa cruz para carregar, terei que lidar com isso. Tem muita gente que sofre coisas bem piores.

Nunca conversei em detalhes com tia Anne sobre o tipo de trabalho que faço, porque ela era uma católica muito devota e o contato com os mortos não se encaixava em sua crença. Eu a respeitava e não queria perturbar sua fé. Só trouxemos o assunto à tona depois que Freddi, com quem ela fora casada durante 52 anos, faleceu. Na ocasião, senti que ela desejava muito saber o que acontece quando vamos para o céu.

Quando tia Anne fez 90 anos, conversamos um pouco por telefone, e foi a última vez em que nos falamos. Ela me contou um sonho que tivera na noite anterior.

– Eu era menina e estava sentada na varanda da casa em que nós crescemos. Todos os meus irmãos e irmãs andavam por perto. De repente, olhei para cima e vi minha mãe estendendo a mão para mim. "Venha, Anne", ela disse. "Você sempre fica para trás!"

Minha tia não compreendeu o que o sonho significava, mas eu sabia que a mãe estava vindo buscá-la. Alguns dias depois, Anne morreu tranqüilamente enquanto dormia.

Um cruzeiro para o Taiti

Tenho muita sorte por poder desempenhar esse tipo de trabalho. Ajudo as pessoas a libertarem a mente e a abandonarem o medo da morte. Não existe recompensa maior para mim do que realmente fazer diferença na vida de alguém.

Descobri que uma das melhores maneiras de ensinar e de conhecer o planeta é em um cruzeiro. No início dos anos 1990, meu amigo Ron Oyer me procurou com a idéia de fazer um cruzeiro espiritual. Assim nasceu a Viagem da Iluminação.

Uma das nossas viagens foi à encantadora ilha do Taiti, localizada na Polinésia Francesa. O Taiti é o local mais próximo do céu que consigo imaginar. A transparência azul-esverdeada do mar, a hospitalidade local e a energia mágica que existe lá fazem da ilha um lugar perfeito para retiros espirituais.

Durante a reunião de orientação, conversei com o grupo

sobre o processo de comunicação com os espíritos. Expliquei que para ter os melhores resultados possíveis era necessário que os participantes abandonassem qualquer expectativa que tivessem trazido consigo.

Essas expectativas ansiosas com freqüência bloqueiam qualquer chance de comunicação. Eu as comparo a uma mangueira de jardim que foi torcida e retorcida várias vezes. A água não consegue passar através dela porque o fluxo está interrompido. Permanecer aberto para o que pode acontecer pode ser uma tarefa extremamente difícil. Todos querem uma gratificação imediata, principalmente se estiverem pagando por ela. Mas eu lembro às pessoas que os espíritos se manifestam de maneiras sutis. As mensagens podem chegar por meu intermédio, através de outra pessoa que está no recinto ou mesmo de alguém que não participa do workshop.

Esse foi o caso de Joyce Randall. Joyce havia decidido fazer nossa viagem ao Taiti depois da morte devastadora de sua filha. Marie era uma universitária cheia de vida que estava estudando para ser médica. Infelizmente, sua vida foi abreviada por uma rara doença nos ossos.

Joyce era uma pessoa tímida e discreta que sofria intensamente com a perda da filha. Tinha passado por uma depressão profunda e estava ansiosa para fazer contato com a jovem. Depois que a conheci melhor, ficou claro para mim que, na relação de mãe e filha, Joyce assumia o papel da criança, enquanto Marie funcionava como uma figura maternal que cuidava da mãe. Sem a filha, a vida de Joyce também desapareceu. Ela não sabia como lidar com a dor. Então, um dia, uma amiga lhe deu o meu livro *A força da vida*. Depois de lê-lo, ela entrou no meu site e acabou reservando um lugar no cruzeiro.

A viagem mudou a vida de Joyce para sempre. Durante a semana, ela me contou várias histórias adoráveis sobre ela e a filha. Chorando, ela dizia que gostaria de poder, de algum modo, recuperar parte de seu passado. Olhei-a nos olhos e senti seu sofrimento. Joyce parecia muito deprimida e solitária.

– Tenho certeza de que a sua filha vai se revelar de algum modo. Basta ficar aberta aos sinais.

Um dia, programamos um workshop especial em terra, comandado por uma moradora da ilha. A palestra seria sobre a cultura do Taiti e suas crenças espirituais. Joyce estava presente.

– Não sei dizer muito bem por que estou aqui, mas senti que deveria vir – disse ela assim que chegou.

Então ela se virou, olhou para a mestre de cerimônias do workshop e ficou boquiaberta.

– É Marie! – exclamou. – É a imagem viva de minha filha.

Quando ficou sabendo que o nome da mestre de cerimônias era Maria e que seu aniversário era apenas dois dias depois do da filha, Joyce ficou eufórica.

No momento em que viu Joyce, Maria também sentiu que havia uma conexão imediata entre as duas. Devo acrescentar que a mãe de Maria havia falecido recentemente. As duas mulheres perceberam que o mundo espiritual as havia reunido de uma maneira que nenhuma delas jamais poderia ter imaginado. Joyce e Maria continuaram a se comunicar por meio de telefonemas, e-mails e cartas. Elas lembram uma à outra que ninguém jamais está perdido ou esquecido e que o amor entre mãe e filha ficará sempre presente.

Uma surpresa de aniversário

Outro modo que os espíritos usam para fazer contato conosco é através de fotografias. Já vi muitas imagens onde aparecem globos de luz ou alguma coisa parecida com fumaça ao redor de pessoas fotografadas. Muitos acham que esse tipo de efeito estraga as fotos. Mas eu acredito que isso acontece porque, de alguma forma, um espírito transferiu uma parte de força para a energia eletromagnética da fotografia. Repito: é necessária muita energia espiritual para fazer isso, mas tenho uma página inteira em meu site dedicada a "fotos de espíritos".

Meses depois da morte de meu cunhado Dennis, que se suicidou há dez anos, fiz uma sessão espiritual para minha sobrinha Gail. Dennis sempre fora cético em relação a médiuns e comunicação com espíritos. Por isso, quando ele apareceu na sessão, fiquei um pouco surpreso. Uma das primeiras coisas que ele admitiu foi:

– *Estou vivo, consigo falar com você.*

Depois de enviar algumas mensagens comoventes para a filha, Dennis concluiu:

– *Vejo todos vocês na festa de aniversário.*

Eu tinha certeza de que ele estava se referindo ao aniversário de Gail, que iria ocorrer dentro de alguns dias, mas o aniversário passou e nada aconteceu. Gail e eu ficamos decepcionados.

Três meses depois da sessão, a neta de Dennis, Brittany, fez 3 anos. No dia seguinte, minha irmã, Lynn, ligou para mim, praticamente berrando ao telefone.

– Você não vai acreditar!

– No quê? – perguntei.

– Foi o Denis! Ele apareceu na foto com a Brittany! Está ajoelhado, esticando a mão para ela.

Mais ou menos um mês depois da conversa telefônica, encontrei minha irmã em Nova York, e ela me mostrou a fotografia. Até hoje, aquela é uma das fotografias espirituais mais nítidas que já vi. Além do nariz e dos olhos, dava para enxergar as costeletas, o corpo, a camisa e as calças de Dennis.

Ele provou a todos – mas sobretudo a si mesmo – que de fato existe vida após a morte.

Nosso filho, o geólogo

Há ocasiões em que um espírito se utiliza de métodos únicos e raros de comunicação, por meio da manipulação da estrutura molecular. Em outras palavras, o espírito é capaz de fazer um objeto aparecer e desaparecer. O espírito também é capaz de mover um objeto ou mesmo de enviá-lo para um local completamente diferente na casa. É necessária muita energia para fazer isso, mas é real e acontece.

Em agosto de 2001, fizemos um cruzeiro da Turquia até Atenas. A água é um condutor de energia muito especial, e por isso as experiências que as pessoas vivem nessas viagens são com freqüência amplificadas. Esse workshop reuniu pessoas de várias partes do mundo e de diversos perfis. Mas todas tinham um só objetivo: viver uma experiência que transformaria sua vidas.

Fayed e Shania, um casal do Kuwait, tinham perdido o filho, Bruno, havia cerca de um ano. Embarcaram no cruzeiro na esperança de fazer contato com ele e obter paz. Com apenas 24 anos, Bruno era respeitado pelos colegas devido à sua inteligência e talento. Ele adorava tudo que se relacionasse a rochas e tinha estudado geologia na faculdade.

Como em todos os meus workshops, expliquei à platéia como o processo de comunicação espiritual funciona. Naquela primeira sessão, vários espíritos se manifestaram, mas Bruno não se comunicou com os pais, deixando Fayed e Shania decepcionados. Os dois permaneceram na sala depois que todos saíram, chorando pela perda do filho.

Meu assistente, Jorge, percebeu o quanto o casal estava abalado. Aproximou-se deles e explicou novamente o que eu tinha dito durante o workshop:

– James não trouxe uma mensagem de seu filho, mas isso não significa que ele não esteja por perto. Fiquem abertos. Algo irá acontecer e vocês saberão que ele está aqui. Sempre acontece algo nesses workshops.

Fayed e Shania se sentiram reconfortados e foram se preparar para o jantar.

Fayed estava lavando as mãos no banheiro quando de repente uma pedra grande caiu no chão. Ele chamou a mulher e, quando Shania chegou ao banheiro, encontrou o marido olhando fixamente para a pedra.

– O que é isso? – perguntou ela.

– É o Bruno! – respondeu Fayed, todo animado. – Foi o Bruno que mandou esta pedra. Como se explica esta pedra no meio do quarto, no meio do oceano?

Quando Fayed e Shania chegaram para jantar, vi que algo tinha acontecido, pois parecia que a aura deles tinha se acendido em tons de dourado e de azul. Quando relataram a história da pedra que tinha surgido do nada, fiquei perplexo com aquela materialização. Até hoje, acho que esse foi um dos exemplos mais fortes do poder da comunicação espiritual que já testemunhei.

Espíritos têm sobre nós um impacto muito maior do que imaginamos. Como não podemos aplicar leis físicas de tempo e espaço aos mundos dos espíritos, freqüentemente chamamos de coincidência aquilo que é na verdade uma influência da esfera espiritual. Precisamos pesquisar mais as coincidências que acontecem conosco, pois não existe acidente nem sorte. Ainda que nosso Universo seja percebido como caótico e fora de controle, ele é um sistema governado de modo perfeito por leis espirituais. Da próxima vez que uma coincidência ocorrer em sua vida, examine-a um pouco mais a fundo para descobrir seu verdadeiro significado. Sempre há algo por trás de um encontro fortuito ou de um golpe de sorte. Normalmente, é um espírito ou até dois tentando enviar uma mensagem.

É necessário lembrar sempre que qualquer espírito que esteja na luz não vai se comunicar de modo ameaçador. No entanto, um espírito preso à Terra pode estar se sentindo esgotado ou confuso, e por isso sua comunicação causa perturbações. São os espíritos presos à Terra que assombram os vivos e que podem causar danos.

oito

Alguns viram assombração

Vou morrer congelado!, pensei comigo enquanto meus dentes tiritavam e as extremidades de meu corpo se entorpeciam com o frio. Eu esfregava as mãos, mas nem assim conseguia reativar a circulação. Comecei a me repreender: "Nossa, James, por que não vestiu seu sobretudo antes de sair? Por que foi entrar nesse maldito armário de vassouras? Por que tinha de ser tão intrometido? Será que as outras pessoas os enxergam? O que será que eles querem? Por que não me deixam em paz?!" Comecei então a tremer, não por causa do frio, mas de medo. Eu estava assustado, muito assustado.

Aquela não foi a primeira a primeira vez que me escondi. A coisa já vinha acontecendo com bastante freqüência. Eu queria conversar com alguém sobre tudo aquilo que via. Não sei por que não fiz isso, mas de certo modo aquele era o "nosso" segredo", e eu achava que se o expusesse poderia acabar sofrendo algum mal. Ninguém mais via o que eu era capaz de enxergar e, na maior parte do tempo, os outros meninos simplesmente me achavam louco. Eu só tinha paz quando me escondia.

De repente, a porta do armário se abriu.

– Que raios você está fazendo aí dentro? Você podia ter morrido congelado – gritou o frade Martin. – Agora já para o dormitório e vá para a cama. Ande logo!

Eram 7h da manhã. Eu devo ter cochilado entre as vassouras e os ancinhos. Eu tinha 14 anos e era aluno do Seminário Católico Preparatório Eymard. Em vez de ingressar no ensino médio, eu decidira me tornar padre.

No momento em que minha mãe e meu pai me deixaram no Eymard, no primeiro domingo de setembro de 1972, eu sabia que algo não estava certo. Quando os meus olhos pousaram sobre a fachada da imponente estrutura de pedra, que havia sido um pavilhão de caça dos Vanderbilt, senti como se alguém estivesse me sufocando. De repente, ouvi um grito agudo de mulher. Virei para os meus pais e implorei:

– Mudei de idéia. Não quero mais estudar aqui.

– Você tem noção dos sacrifícios que fizemos para que você pudesse vir para esta escola? – perguntou meu pai.

Minha mãe fez o possível para me acalmar.

– É normal você se sentir assustado, afinal é a primeira vez que sai de casa.

Não tive alternativa senão aceitar.

O interior da mansão era tão assustador quanto o lado de fora. Parecia algo saído de um filme de terror, e eu ia ter que morar lá. Enquanto caminhava pelo saguão principal, notei que havia janelas de vitrais coloridos que iam do chão ao teto e que formavam sombras multicoloridas no piso lustroso de mogno. As paredes eram forradas de madeira escura. Uma escadaria larga pairava sobre o centro do saguão. Dava até para imaginar os proprietários originais daquele lugar descendo pomposamente os degraus para ir ao encontro dos hóspedes. Havia no ar uma sensação avassaladora de tristeza.

Os padres vieram receber os alunos do primeiro ano e nos conduzir ao dormitório no terceiro andar. Enquanto subíamos a enorme escadaria, vi nas paredes figuras entalhadas com imagens de caçadores tirando o couro de suas presas recém-abatidas. Perfeito. No alto do primeiro andar, erguia-se uma estátua da Virgem Maria que parecia muito deslocada naquela casa de horrores. Olhei para a sala de estar no andar de baixo e avistei três silhuetas sombrias que se esgueiraram rapidamente para um cômodo adjacente. Parei e fiquei olhando.

– Siga em frente, James – disse o frade Joe. Ele pegou minha mão e me puxou escada acima.

– Quem são aquelas pessoas? – perguntei.

– Que pessoas?

– A senhora de cinza e o menininho. Estavam andando lá no fundo da sala de estar.

O frade Joe conduziu os garotos para o dormitório. Depois se abaixou e disse em voz baixa mas firme:

– Este é um lugar de Deus. Não permitimos bobagens aqui. Mantenha seus pensamentos puros. Entre no seu quarto.

Entrei no dormitório. Era basicamente um longo corredor com muitos quartos laterais e banheiros. Parecia um sótão reformado.

– Oi, eu sou o James – disse a alguns dos meninos.

Eles apenas acenaram com a cabeça e grunhiram um "oi" de volta. Percebi que eu era o mais baixo de todos e me senti estranho e meio constrangido. Minha cama ficava no final do corredor, à direita. Na cama ao lado, estava um garoto chamado Steve. De início ele foi legal comigo, mas, com o tempo, acabou se juntando aos outros e mudando a maneira de me tratar.

Desfiz as malas e me sentei na cama, triste. De repente, me veio o impulso de caminhar até o outro extremo do corredor. Na metade do caminho, passei por um quarto e senti algo estranho. Olhei para dentro. No mesmo instante, escutei aquele grito agudo de mulher que tinha ouvido ao chegar. Dessa vez, consegui compreender algumas palavras:

– Por favor… Ajude-o… Você vai matá-lo... Pare!

A voz ficou tão alta que tive que me encolher e tapar os ouvidos. Não foi uma boa maneira de começar meus estudos. Eu era muito impressionável, e essa sensação ficaria comigo até minha partida do seminário.

Acabei de desfazer minhas malas. Sabia que estava em um contexto estranho e perturbador e de certa forma também sabia que havia um ou vários espíritos assombrando o lugar e que não pareciam muito legais. Para completar, eu tinha uma horrível sensação de que havia alguém me observando porque essa pessoa sabia que eu a enxergava.

Na manhã seguinte, ao acordar, senti algo tocando meu pescoço. Gritei quando, ao esticar a mão para cima, encontrei algo que parecia um monte de fios de cabelo. De repente, uma gargalhada encheu o quarto. Abri os olhos e vi um esfregão de tecido colocado ao meu lado. Eu estava sendo vítima de uma brincadeira de mau gosto. Os garotos que teoricamente seriam futuros padres agiam mais como internos de um reformatório. Foi então que compreendi. Aqueles meninos eram jovens problemáticos que os pais tinham mandado para o seminário na esperança de que os frades os transformassem em bons católicos.

Depois daquele incidente, meus sentimentos de isolamento e insegurança aumentaram. Eu vivia com a sensação perturbadora de que os olhos de alguém estavam seguindo os meus passos, e a energia ameaçadora parecia estar ficando cada vez mais forte. Dava para perceber que o espírito em questão logo revelaria sua presença.

Depois de muitas semanas, surgiu um boato de que alguém estava entrando na adega e quebrando garrafas de vinho. Um dia, durante a missa, nós todos ouvimos o som de vidro quebrado vindo de trás do altar. A missa acabou cerca de meia hora depois e, enquanto seguíamos em silêncio para a sala de jantar, o som de uma sirene rompeu a quietude. Durante o café da manhã, o frade Robert veio nos dizer que o padre John, um dos homens que tinha ido investigar o som que viera de trás do altar, tinha sentido dores no peito e fora levado para o hospital. Quando perguntamos o que era o som de vidro quebrado, ele deu uma resposta pouco convincente:

– Alguns ratos entraram lá.

Quando relembro essa experiência e todas as outras coisas estranhas que aconteceram no seminário, percebo que os padres sabiam que o lugar era assombrado. Certa noite, ao passar pela sala de jantar dos padres mais velhos, eu os ouvi dizer:

– Eles têm que ir embora. Aqui não é mais a casa deles!

Houve uma série de incidentes durante meu primeiro ano na escola. Um garoto quase morreu de overdose de tabletes de purificação de água e vários seminaristas foram expulsos devido a ataques violentos sem motivo aparente. Eu sentia a tensão aumentar cada vez mais.

À medida que novas coisas aconteciam, meus sonhos iam se tornando mais vívidos. Em um sonho, ouvi som de choro e de tosse vindo de um dos quartos mais afastados do meu. Entrei lá e vi um homem vestido com um macacão velho e uma camisa branca suja. Um menino de uns 7 anos de idade, com aparência muito pálida, estava deitado no chão e tossia. O homem virou-se para me olhar e em suas mãos havia uma corda e uma faca. Eu sabia que ele estava preparando um laço para colocar em volta do pescoço do menino. Quando olhei para o homem, ele disse:

– *Saia daqui. Isso não é da sua conta!*

A janela próxima a ele se abriu de repente, e eu acordei encharcado de suor. O sonho foi tão real que corri para o quarto do frade Robert e bati na porta para contar a história. Ele me deu palmadinhas amistosas na cabeça.

– Foi só um pesadelo. Muitos garotos têm pesadelos. Você está longe da família e dos amigos. Vá para a cama. Está tudo bem.

Infelizmente, os pesadelos continuaram e, apesar de serem diferentes, eram sempre sobre o homem, o menino e uma mulher que descia as escadas correndo e gritando.

A maior parte das minhas visões ocorria à noite, na hora da missa, ou pouco antes de dormir. Durante a missa, eu via o espírito de um padre dizendo as palavras do ritual junto com o padre vivo. O espírito usava vestes de uma época passada. Muitas vezes ouvíamos sons estranhos ou coisas caíam sem motivo algum.

Eu me lembro muito bem de uma determinada noite. Caminhava da sala de estudos, situada debaixo da igreja, em direção ao andar de cima. Vi uma coloração dourada por trás das portas de vidro fosco na entrada da igreja. Abri as portas e me deparei com a mulher de vestido cinza e um menininho colocando uma vela em frente à estátua da Virgem Maria. O espírito da mulher olhou para mim e começou a gritar:

– *Vou pegar você!*

Fiquei apavorado, corri até o frade que estava na sala de estudos e contei o que tinha acabado de ver. Ele não deu importância.

Logo outros meninos começaram a sonhar com a mulher que gritava, com o homem ameaçador e com a criança. Certa noite, quando entramos no dormitório, Tom, um de nossos colegas, estava ajoelhado no canto, gritando:

– Não o mate!

Depois Tom nos contou que havia um homem colocando uma corda em volta do pescoço de um garotinho para enforcá-lo. Ele procurava detê-lo.

Aquilo me bastou. Serviu para confirmar minha crença de que o lugar era de fato assombrado.

Certa tarde, os frades convidaram o historiador da cidade para fazer uma palestra para os alunos. Ele nos contou que no início do século XIX, antes da chegada dos Vanderbilt, morara ali uma família chamada Smithers. O pai, Jonathan, e a mãe, Bessie, tinham um filho pequeno, Jules, que estava muito doente com tuberculose. Parece que eram pessoas muito religiosas e supersticiosas. Bessie chamou o padre local e pediu-lhe para exorcizar o demônio que possuíra seu filho. O padre fez tudo o que pôde, mas o menino foi piorando a cada dia. Bessie amaldiçoava a Deus por ter deixado seu filhinho ficar doente. Enquanto isso, o comportamento do marido foi se tornando cada vez mais estranho. Ele abandonou suas atividades, deixando a fazenda em uma situação caótica. Bessie desconfiava que o padre tinha transferido para o marido o demônio que tirara do filho.

Um dia, completamente enlouquecido, Jonathan colocou uma corda ao redor do pescoço do garoto e o enforcou pendurado na janela. Bessie entrou no quarto e gritou: "Pare!" Ela correu em direção à corda, mas o menino morreu enforcado bem diante de seus olhos. Jonathan ficou tão perturbado que pulou pela janela e morreu também.

Hoje acredito que Bessie assombrava a casa por desejar que os padres e frades fossem embora. Ela os culpava pela morte do filho e do marido.

Depois do primeiro ano, voltei bem feliz para a escola pública. A quantidade de alunos inscritos no seminário caiu de 40 para 10. Dentro de mais algum tempo, o seminário fecharia suas portas para sempre. Há dois anos, estive naquela região fazendo um workshop. Passei de carro pela velha mansão. Olhando para ela, tive a sensação de que o local ainda não estava livre da atividade fantasmagórica. Simplesmente não parecia limpa. Um vizinho se aproximou de mim e, quando lhe disse que estudara ali, comentou:

– Muitos ex-alunos voltam aqui para dar uma olhada nesta velha construção, e todos têm uma reação estranha.

Voltei para o carro e fui embora. Minha única esperança era

de que um dia os espíritos que assombravam aquele local fizessem a travessia para a luz e encontrassem a paz.

O que é uma assombração?

Minha experiência no seminário é uma ilustração perfeita de como os espíritos assombram os lugares. Na minha opinião, a maioria dos lugares é assombrada, de um jeito ou de outro. Talvez não tenhamos consciência das muitas entidades que circulam ao nosso redor, mas os espíritos são capazes de vagar livremente por onde bem desejarem, porque, como já disse, eles não estão limitados à dimensão física. Não precisam de qualquer meio de transporte para ir de um lugar para o outro, porque viajam por meio de pensamentos.

Um lugar assombrado é um local com alta concentração de atividade de espíritos que se estende por um longo período. Com base em minhas investigações, descobri que esses locais possuem uma forte ligação emocional com o espírito que nele se manifesta, como aconteceu com o seminário que era assombrado por pessoas que o tinham ocupado no passado. Os espíritos associam fortes lembranças mentais e emocionais a determinado lugar, com o desejo de revivê-las, e em alguns casos permanecem lá por não serem capazes de parar de repeti-las. É por isso que eles causam distúrbios na energia. Por outro lado, talvez os espíritos apenas desejem proteger um local para garantir que os atuais ocupantes respeitam seu lar e cuidam dele com o mesmo empenho.

Estúdio Desilu

É muito comum espíritos assombrarem os lugares onde trabalhavam enquanto vivos. Já me comuniquei com muitos espíritos que voltam freqüentemente para visitar um local de que gostavam muito. Um dos espíritos mais famosos que ainda assombram o local onde trabalhavam é o da atriz Lucille Ball. Ela se comunicou comigo em duas ocasiões. A primeira vez que me encontrei com Lucy foi durante um segmento do programa *Entertainment Tonight*, da CBS. Fui anfitrião de um passeio pelos estúdios da Paramount para localizar espíritos do período áureo de Hollywood. Muitos espíritos famosos se apresentaram, mas nenhum tão famoso quanto a comediante de cabelos ruivos.

Lucille Ball me disse o seguinte:

– *Eu trabalhava o tempo todo e sentia falta dos meus filhos.*

Ela resolveu transformar o Estúdio Desilu em ambiente adequado para crianças, onde os funcionários pudessem levar seus filhos. Devido à sua influência, Lucy foi a primeira a criar uma creche no estúdio. Ela contou:

– *Eu planejava piqueniques e festas para os funcionários e os filhos deles o tempo todo. Era o meu lado materno.*

Enquanto ela falava, eu transmitia nossa conversa para a câmera. Então Lucy apontou na direção do camarim que ocupava.

– *Venha, vou lhe mostrar* – disse ela.

A equipe eu fomos até um prédio que no presente abriga uma produtora de televisão. O assistente administrativo da recepção ficou surpreso ao ver câmeras e um técnico de som invadindo o edifício. Cumprimentei-o e expliquei:

– Estamos gravando um segmento para o *Entertainment Tonight*. Sou médium e estou me comunicando com o espírito de Lucille Ball. Ela está me dizendo que usava um camarim que fica nos fundos. Ela ia para lá e deitava no sofá. Sabe do que estou falando?

Chocado, o rapaz respondeu:

– Ah, sei sim. Era o camarim particular de Lucy, onde ela ficava quando queria descansar.

Lucy deixou bem claro para mim:

– *Não estou mais descansando.*

Eu falei para o recepcionista:

– Sabe, a Lucy vem sempre aqui.

A atriz me contou que tinha decorado lindamente o camarim. E acrescentou:

– *Agora está tão sem graça...*

Enquanto caminhávamos pelas salas, Lucy prosseguia:

– *Fico pregando peças nos atuais ocupantes. É assim que me divirto. Às vezes derrubo uns papéis da mesa e fecho a porta da sala.*

Perguntei ao recepcionista se coisas assim tinham acontecido. O rapaz deu uma risada nervosa e assentiu:

– É, papéis voam da minha mesa sem motivo aparente, e já houve vezes em que a porta se fechou sozinha.

– É a Lucy! – confirmei, empolgado. – Ela vem aqui para ver o estúdio que ajudou a construir. Ela está dizendo que guarda muitas lembranças boas desse lugar.

Lucy terminou a conversa com seu charme único:

– *Por que eu não voltaria aqui para reviver os melhores anos de minha vida?*

Apesar de os espíritos geralmente freqüentarem lugares ligados a seu passado, percebi que alguns assombram locais com os quais não possuem ligações emocionais. Às vezes os espíritos escolhem um ambiente específico porque algo naquele contexto os atrai. Existe também a possibilidade de que, quando vivos, eles tenham desejado fazer parte de um determinado ambiente, sem nunca terem encontrado oportunidade de fazê-lo.

Há espíritos, por exemplo, que sempre desejaram estar no palco e por isso assombram teatros para viver essa experiência. Os espíritos também podem ser fãs de determinado ator e ficar perto da pessoa para satisfazer o desejo de proximidade. Já tive vários clientes atores que sentiam com freqüência a presença de espíritos por perto. Quando pergunto a um espírito por que faz esse tipo de coisa, a resposta geralmente é a seguinte:

– *Estou aqui para ajudar fulano a desempenhar bem seu papel.*

Já me comuniquei com alguns espíritos que tinham sido pessoas muito patrióticas e que, ao morrerem, foram direto para algum lugar onde forças militares lutavam, procurando ajudar os soldados. Era seu modo de estar a serviço do país.

Espíritos na balada

Espíritos presos à Terra com freqüência vão a lugares onde há energia humana em abundância. A primeira coisa em que penso é em um bar ou uma boate onde álcool seja servido. Parece que quanto mais bêbados estão os clientes, mais fácil é para os espíritos se apegarem a eles. Como já mencionei, indivíduos em estado de embriaguez ficam mais suscetíveis à influência de espíritos porque o álcool drena sua aura protetora. É como baixar a guarda.

Há muitos anos, estive em Minneapolis para fazer uma demonstração. Depois que acabou, fui a um bar local para tomar um drinque e relaxar. Antes de mais nada, preciso ressaltar que toda vez que visito uma cidade com a qual não estou familiarizado, faço meu ritual de proteção, porque nunca sei se vai haver espíritos pairando por lá. Dirigi-me com Kelley, minha assistente, a um bar que fazia sucesso na cidade. No caminho, Kelley e eu observamos que havia muitos edifícios fechados com tábuas, poucas lojas e pouquíssima iluminação. Eu disse a Kelley:

– Estou me sentindo estranho. A energia por aqui me parece sombria e perturbadora. Não se esqueça de fazer um muro de proteção ao seu redor.

No momento em que entramos na boate, fomos atingidos por uma energia negativa. O cheiro de mofo e de água sanitária inundou nossas narinas.

A cada passo que dávamos na direção do segundo andar, eu me sentia pior. Quando chegamos à pista de dança, não conseguíamos enxergar muita coisa através das luzes piscantes. As pessoas pareciam em estado de frenesi, acompanhando o ritmo da batida pesada da música.

Apesar de ser difícil enxergar as pessoas, era fácil distinguir os espíritos. O lugar estava lotado deles. Sombras escuras seguiam as pessoas por toda parte e figuras sombrias se espalhavam por todos os cantos. Alguns espíritos estavam no bar, ao lado dos que bebiam. Então vi algo que nunca tinha presenciado antes. Sentada em uma mesa do outro lado do recinto, se encontrava uma jovem muito bêbada, reclinada sobre a mesa. Dois espíritos estavam sentados ao lado dela, um de cada lado. Um era de uma mulher magrela e o outro, de um homem que parecia um roqueiro fracassado.

As pessoas estavam tão bêbadas que, no trajeto que percorri em busca de um pouco de ar, várias esbarraram em mim. Não esperamos nem cinco minutos. Quando Kelley e eu saímos porta afora, o ar frio da noite nos deu um pouco de alívio. Havia uma fila enorme de gente esperando para entrar. Vários espíritos estavam perto dos clientes que aguardavam sua vez. A atmosfera parecia de um filme de terror. Apavorados com toda aquela energia negativa, Kelley e eu dobramos a esquina e nos afastamos rapidamente. Eu disse:

– Acho que estou precisando de um banho.

E Kelley respondeu:

– Eu também.

Naquele exato momento, começou a chuviscar. Rimos da coincidência, mas continuamos caminhando. Com toda aquela energia intensamente negativa cobrindo a área, não havia a menor chance de termos a sorte de encontrar um toldo ou batente de porta para nos abrigar a chuva.

Pelo aspecto das pessoas que passavam por nós, parecia energia de droga. Quando estávamos a cerca de três quarteirões do hotel, um maluco de repente pulou de dentro de um beco e começou a gritar palavrões para Kelley. Saímos correndo em busca da segurança do hotel.

Outros locais que espíritos gostam de assombrar

Além dos lugares que descrevi, os espíritos também procuram pessoas vivas que tenham uma intensa energia de "medo". Medo, preocupação e ansiedade são emoções que atraem espíritos presos à Terra. Eles se alimentam desses sentimentos e os utilizam para aumentar sua própria energia. Há vários locais que contêm energia de medo. Acredite ou não, consultórios de dentista normalmente estão lotados de espíritos.

Outros lugares surpreendentes são escritórios de advocacia e tribunais, por causa das emoções amedrontadoras ligadas a eles. Nesses contextos as pessoas estão esgotadas emocionalmente, sentem muita raiva, são acusadas – injustamente ou não, se de fato cometeram crimes. Alguns espíritos tiveram problemas com a lei quando estavam vivos, e gostam de absorver o máximo possível desse tipo de energia. Outros talvez tenham sido inocentes das acusações sofridas e só querem garantir que a justiça seja feita.

Hospitais estão repletos de doenças, preocupações e medo da morte. Sempre que visito alguém em um hospital, vejo espíritos por perto. Alguns estão lá para sugar a energia das pessoas debilitadas, outros, para auxiliar seus entes queridos em sua passagem para o além. Há ainda alguns espíritos que acabaram de falecer e estão meio confusos em relação a seu paradeiro.

Aviões são outra fonte de interferência dos espíritos. Compreendo isso porque, assim como eu, muitas pessoas sentem um certo – ou muito – medo de voar. Porém, vários dos espíritos que vi em aviões não estavam lá necessariamente para roubar energia, mas para proteger seus entes queridos assustados. Sei que vários dos meus guias espirituais me acompanham nas viagens aéreas para me acalmar.

Há alguns anos, eu estava no aeroporto de Memphis esperando para embarcar em um vôo que me levaria de volta a Los Angeles. Quando olhei para a multidão no portão de embarque, vi diversos espíritos próximos de seus entes queridos. Não senti nenhuma energia negativa vinda deles, mas um espírito em particular chamou minha atenção. Era bastante alto e meio gordinho. Usava camiseta branca, calça jeans e óculos de sol grandes e pretos. Estava perto de uma loura muito bonita e acariciava a parte superior de sua cabeça. Fiquei imaginando se ele a conhecia ou se simplesmente se sentia atraído pela energia brilhante e simpática que a moça emanava. Quanto mais eu olhava para esse espírito, mais familiar ele me parecia. Alguns minutos depois, o funcionário da companhia aérea anunciou o embarque.

Fui uma das primeiras pessoas a entrar no avião. Logo atrás de mim veio a loura bonita, que se sentou ao meu lado. Nós nos apresentamos. Ela se chamava Barbara e me disse que era viúva. Passamos as duas horas seguintes em uma conversa maravilhosa e inspiradora sobre a vida em Los Angeles, viagens, negócios e família. Várias vezes durante a conversa percebi que aquele espírito de óculos escuros continuava em pé bem atrás dela. Seu rosto ainda me parecia incrivelmente familiar, e aquilo estava me incomodando. Durante o vôo, Barbara me contou que estava voltando de uma visita à casa que o seu marido construíra em Memphis. Era viúva de um astro famoso.

Eu o reconheci imediatamente. Era ele quem ficara em pé atrás dela o tempo todo! Nunca disse a Barbara o tipo de trabalho que eu fazia, mas fiquei feliz em ver que o marido amoroso continuava cuidando dela.

Lugares que guardam memórias de assombrações

Assim como as pessoas, os lugares também podem reter energia. Esse fenômeno é conhecido como "memória de um lugar" e é um tipo de assombração diferente de outros que expus anteriormente. A memória de um lugar tem a ver com certos pontos que guardam uma marca ou um registro de sua história. Os espíritos costumam se sentir perdidos nesses lugares e passam a reviver várias vezes determinado evento.

No meu livro *O despertar da intuição*, discorri longamente sobre minha experiência com a "memória de um lugar" que tive em Dallas. Eu estava viajando de carro e de repente senti uma dor muito forte na cabeça.

– Pare o carro! – pedi ao motorista.

Desci e percebi que estava bem no lugar em que o presidente Kennedy fora baleado. Locais históricos geralmente têm esse tipo de memória de assombração. Assim como as pessoas se apegam a suas recordações, os lugares retêm memórias. É o tipo de energia que existe em locais históricos onde eventos importantes ocorreram. As ruas de Dallas ainda guardam a energia do assassinato que aconteceu ali. Como o evento teve um componente emocional intenso, a memória permanece.

Campos de batalha são lugares com lembranças muito intensas. As pessoas que visitam esses locais com freqüência sentem as emoções presentes durante o combate. Já me disseram que é possível ouvir soldados gritando ou sentir a presença de tiros. É impossível deixar de ser afetado por esse tipo de energia.

A casa de Anne Frank

Em 1994, fiz uma viagem à Europa. Queria visitar a terra de meus ancestrais na Holanda. Cheguei a Amsterdã em uma tarde muito chuvosa. No dia seguinte, porém, a cidade estava tão iluminada quanto uma típica pintura holandesa. Amsterdã, uma das cidades mais charmosas que já vi, está cheia de lugares assombrados por recordações. Passei o dia visitando os pontos turísticos comuns, mas havia um lugar particularmente que eu queria conhecer: a casa de Anne Frank.

Desde garoto, eu sentia uma conexão muito grande com esse lugar. Eu desconfiava que essa conexão se devia à lembrança de uma vida passada, porque sempre fui fascinado pela Segunda Guerra Mundial. No ensino médio, participei da produção da peça *O diário de Anne Frank*, fazendo o papel do Sr. Dussel, o dentista que viveu escondido junto com a família Frank. No primeiro dia de ensaio, quando abri a boca para dizer algumas falas, uma voz forte, profunda e poderosa saiu de mim. Fiquei chocado, assim como todos os presentes. O professor me perguntou:

– Como você fez isso?

– Não sei – respondi. – Simplesmente saiu de mim.

Enquanto eu estava em pé na frente da casa dos Frank, comecei a sentir uma coisa estranha. Olhei para o canal em frente e pensei: "Este canal, esta ponte e até estas árvores continuam sendo exatamente do mesmo jeito que eram há 50 anos." O que eles teriam testemunhado? De repente, com minha visão mental, voltei no tempo. Vi soldados alemães de motocicleta, ouvi o som agudo de seus gritos, ordenando que as pessoas saíssem das casas e seguissem em frente, além de muitos tiros à distância. Eu me senti apavorado e sozinho.

Retornei à consciência quando me pediram o bilhete de entrada, mas não conseguia afastar a impressão perturbadora de isolamento que havia dentro de mim. O guia turístico explicou que a família Frank tinha passado dois anos escondida no sótão em cima do escritório do Sr. Frank. Ao olhar ao redor, eu soube que as coisas tinham mudado naqueles 50 anos e que nenhum dos pertences originais se encontrava lá. Em seu lugar, havia informações atualizadas sobre a casa, a guerra e questões relativas a direitos humanos.

O guia nos conduziu por um pequeno corredor que levava a uma estante. Fiquei impressionado. Ali estava o móvel original que havia bloqueado a passagem para o local onde os Frank se escondiam. Ver aquela estante fez os acontecimentos se tornarem muito reais e tangíveis para mim. Foi inspirador e ao mesmo tempo triste. Aquela estante comum era a única coisa que separava os nazistas das pessoas que passaram dois longos anos escondidas atrás dela. Não era permitido fotografar, mas não resisti. Saquei minha câmera e tirei uma foto antes que alguém percebesse. Senti uma conexão enorme com aquela estante e com aquele lugar. Não conseguia parar de pensar em Anne e em seu pai, Otto, nem nos outros membros da família. Será que aquela menina holandesa algum dia imaginou que sua vida se tornaria assunto de livros e de filmes e que sua experiência mudaria a idéia que o mundo faz da guerra?

Enquanto subíamos as escadas para o sótão, percebi que as paredes estavam exatamente como eram quando os Frank viveram ali, 50 anos antes. Parei e fiquei observando com muita atenção uma marca feita a lápis. Seria de Anne? Então chegamos ao topo, onde apenas algumas lâmpadas iluminavam o anexo. Enquanto andava por ali, tive a sensação avassaladora de estar aprisionado. Eu não conseguia respirar. O guia me fez sentar na entrada do recinto. As outras pessoas continuaram a visita enquanto eu recuperava o fôlego.

Percebi que havia um pedaço de vidro cobrindo o papel de parede florido original, que já estava desbotado. Todas as fotos da família de Anne e mais algumas que ela havia recortado das revistas de celebridades estavam protegidas por vidros. Enquanto eu examinava as fotos, um homem apareceu de repente. Era alto, tinha cabelo castanho claro, usava calça marrom com suspensórios e uma camiseta regata branca. Uma toalha sobre seu ombro nu sugeria que ele estava a caminho do banheiro. Quando ele passou, perguntei por telepatia:

– *Quem é você?*

O homem nem reparou em mim, mas ouvi a palavra "Fritz" em minha mente, e então ele desapareceu. Eu já havia visto e sentido o bastante por um dia, era hora de ir embora.

Desci a escada até a área do museu e examinei os estojos de vidro que abrigavam as diversas peças de roupas dos campos de concentração, a louça usada pelos Frank e mais fotografias dos ocupantes do anexo. De repente, descobri. De pé, ao lado de Otto Frank em uma das fotos, estava o homem que eu acabara de ver no andar de cima. A legenda dizia que ele era o Sr. Friedich "Fritz" Pfeiffer, também conhecido como "Sr. Dussel". Saí rapidamente da casa e me sentei perto do canal. Fiz uma oração para o Sr. Dussel, para os demais ocupantes do anexo e para os milhões de almas que tinham vivido experiências terríveis:

– Que apenas a luz e lembranças felizes fiquem com eles onde quer que estejam.

Tenho certeza de que muitos de vocês já sentiram algum tipo de conexão com eventos passados, figuras históricas ou certos locais. Ter sensibilidade em relação ao mundo que existe ao seu redor e usar sua intuição são as principais maneiras de se sintonizar com o mundo espiritual. Mas, se você precisar de ajuda extra, há diversos métodos que podem acelerar esse processo.

nove

Para fazer contato

Até agora, este livro se concentrou nos espíritos: quem eles são, como assombram e como tentam chamar nossa atenção. Talvez agora você deseje explorar o mundo dos espíritos por conta própria. Você quer mesmo ver, sentir e se comunicar com espíritos? Existe algum modo para conseguir entrar nesse mundo?

Apesar de eu ter meus métodos particulares de fazer contato com os espíritos, há muitos modos de invocar e entrar em contato com as regiões espirituais. Alguns são simples e requerem muito pouca preparação. Outros necessitam de um plano bem traçado e de alguns apetrechos. Sugiro que você estude cada técnica e decida qual lhe parece mais adequada. Algumas talvez exijam muito tempo e dedicação, mas lembre-se de que o resultado final pode valer a pena.

Caçadores de espíritos

As pessoas têm muita curiosidade em relação aos espíritos. São inúmeros os programas na televisão sobre o assunto, sem falar na quantidade de sites na internet, como, por exemplo, o International Ghost Hunters (Caçadores Internacionais de Espíritos), além de lojas que oferecem material para a atividade.

A tecnologia atual certamente fez com que a caça aos espíritos se tornasse mais popular do que nunca. O tempo das mesas possuídas e dos lençóis voadores se foram. Hoje, para ver espíritos, podemos contar não apenas com óculos de visão noturna, como com aparelhos de registro de temperatura, dispositivos para captar energia, amplificadores de som e muitos outros instrumentos. Se deseja partir em uma expedição para fazer contato com os espíritos, você irá precisar dos ingredientes que descrevo a seguir.

Intenção

Um dos fatores principais é o motivo por trás de seu desejo de fazer contato com os espíritos. Você deve ter uma intenção bem clara a respeito da razão que o leva a desejar explorar esse mundo. Quer ajudar alguém a encontrar algum parente morto? Quer trazer paz para esse espírito? Está ajudando um espírito a seguir adiante? Quer resgatar um espírito de sua atual condição atormentada? Ou está tentando fazer contato com o além como se fosse uma brincadeira, ou para assustar seus amigos? Entrar em contato com os espíritos é algo que deve ser levado a sério, porque eles não gostam de brincadeiras. Você pode acabar entrando em um mundo para o qual não está preparado e sofrer conseqüências com as quais não será capaz de lidar. Lembre-se de que os espíritos são capazes de ler a sua mente e de reconhecer seu medo. Se você não os respeitar, e entrar no mundo deles sem conhecimento nem preparo, os resultados podem trazer efeitos negativos do ponto de vista físico, mental e emocional, tanto para você quanto para quem estiver na sua companhia. Isso não é um jogo. Você só pode ajudar aqueles que estão perdidos se entrar na dimensão astral com sentimento de amor e compaixão em relação a todos que vai contatar.

Permissão

Se você for trabalhar em alguma propriedade, seja uma casa ou outro tipo de construção, peça permissão por escrito ao proprietário. É indispensável ter licença para entrar em uma propriedade com o propósito de investigar atividades paranormais.

Procure conhecer antes, com o maior número de detalhes, a história do local. Descubra se havia alguma outra estrutura no terreno antes da atual e pesquise para descobrir se houve algum incidente significativo no lugar, tal como incêndio, assassinato, suicídio e outros crimes. Lembre-se que a maioria das assombrações está associada a eventos passados que ocorreram em um lugar específico. Se possível, visite várias vezes o local, procurando conhecê-lo o melhor possível. É mais fácil examinar um local quando você já conhece sua disposição espacial.

Equipamento

Alguns equipamentos básicos são necessários para qualquer situação de caçada a espíritos. A lista a seguir pode variar, dependendo da sofisticação da organização ou grupo envolvido.

- Um relógio.
- Um telefone celular.
- Um caderno para anotações.
- Um termômetro ou scanner térmico infravermelho para medir as alterações no ambiente.
- Uma câmera Polaroid, uma câmera 35mm com filme de alta sensibilidade e uma câmera digital.

- Uma câmera de vídeo com tripé (para não ter que ficar segurando a filmadora a noite inteira).
- Um medidor de campo eletromagnético natural.
- Gravadores de voz digital e de fita (para entrevistas e para registrar fenômenos eletrônicos de voz).
- Um contador Geiger para medir vazamentos de radiação.
- Kit de primeiros-socorros.

Preparação

Você tem de saber o que está procurando. Que tipo de atividade está ocorrendo na propriedade? Se está procurando um espírito específico, qual é o tempo a que ele está relacionado? Você está tentando se comunicar com um parente ou amigo do atual proprietário? Antes de começar, lembre-se do seguinte:

- Nunca saia à caça de espíritos sozinho. Tenha pelo menos uma pessoa com você para auxiliá-lo.
- Antes de entrar na propriedade ou de começar algum trabalho com o universo paranormal, sempre comece fazendo uma prece com um pedido de proteção.
- Certifique-se de que todo equipamento eletrônico está carregado e de que você tem baterias extras com a carga completa. Lembre-se de que espíritos se alimentam de energia elétrica.
- Defina um local central dentro da casa para armazenar todo o equipamento, inclusive baterias e lanternas.
- Carregue sempre uma câmera e uma lanterna. Nunca é demais repetir: leve baterias extras.
- Só permita que pessoas verdadeiramente interessadas no projeto façam parte da investigação. Não deixe que estranhos entrem na propriedade.

- Se está com um grupo grande, separe-o em dois para que cada metade possa examinar uma área diferente da propriedade.
- Grave toda e qualquer atividade, incluindo sons estranhos, luzes espontâneas ou emoções de ansiedade e medo vindas do seu grupo.
- Respeite tanto os mortos quanto os vivos que estão no local. Siga seu instinto. Se não se sentir seguro, abandone o lugar imediatamente.
- Antes de ir embora, faça uma prece de encerramento para se abençoar, abençoar aqueles que estão com você e quaisquer espíritos que tenha encontrado.

Investigação

Se resolver entrar em contato com espíritos utilizando algum dos métodos descritos aqui, por favor, lembre-se de que muito do seu sucesso dependerá do quanto você compreende a totalidade do processo. Além disso, é possível que você não obtenha exatamente as explicações que deseja, porque está lidando com uma dimensão completamente diferente. É importante questionar tudo o que for vivenciado, e submeter essas experiências às pessoas que participam da investigação. Certifique-se de que todas elas tenham o mesmo compromisso com a atividade e de que haja alguém mais experiente no grupo. Não saia caçando espíritos com qualquer um. Esse é um trabalho sério.

Quando for buscar uma organização paranormal, certifique-se de que ela possui as qualificações importantes para a sua investigação. As pessoas que compõem essa organização são investigadores profissionais ou exercem a atividade apenas como hobby? Essa organização é validada pela comunidade científica? Há quanto tempo está em atividade? Qual é seu histórico? Já conseguiu entrar em contato com espíritos? Quais foram as provas coletadas pela organização e em que quantidade?

Por último, você deve procurar saber por que essa organização se envolveu nesse tipo de trabalho. A intenção é importante. Faça perguntas. Hoje em dia, qualquer um pode sair por aí com uma câmera e equipamento de áudio e se dizer capaz de fazer contato com os espíritos. Se está usando equipamentos, certifique-se de que sejam artigos legítimos. As pessoas com quem você trabalha são muito importantes. Se elas não souberem o que estão fazendo, a atividade pode ser extremamente perigosa para todos os envolvidos.

Para fotografar espíritos

Assim como os espíritos são capazes de comunicar sua presença por meio de fotografias, nós também podemos fotografar espíritos. Durante meus workshops, é comum os participantes tirarem fotos de mim enquanto estou no palco. Enxergam-se centenas, às vezes milhares de globos luminosos à minha volta. São espíritos? Sim, eu acredito que energias ligadas aos espíritos foram capturadas.

Câmeras são essenciais em uma expedição de caça aos espíritos. Muitos fãs de espíritos já conseguiram capturar imagens em filme. Quando estiver trabalhando com fotografia de espíritos, o componente-chave é a intuição. Você pode sentir necessidade de tirar uma foto em determinado momento ou de apontar a câmera para certo ângulo. Ouça sua voz interior, deixe seu instinto guiá-lo. Quando for tentar capturar espíritos em filme, recomendo que faça o seguinte:

- Escolha um só fotógrafo. Apenas uma pessoa deve tirar as fotos. As outras podem ajudar a alimentar a energia, mas a mesma pessoa deve sempre fazer as fotos.

- Nunca peça a um espírito que se revele. Você nunca sabe o que pode aparecer. Tire a foto apenas quando instintivamente sentir que é a hora de fazê-lo ou quando for instruído pelo espírito.
- Carregue consigo mais de uma câmera, muitos filmes e várias pilhas. Guarde todos os negativos ou cartões de câmera digital, porque muitas vezes a imagem só se forma depois que você olha pela primeira vez.

Quero acrescentar algo que descobri sobre guardar fotos de espíritos. A melhor maneira de conservar essas imagens especiais é em um lugar escuro e coberto, como uma caixa bem fechada, ou no meio de um livro, porque é comum as fotos continuarem a se revelar sozinhas. Às vezes elas parecem se modificar com o passar dos meses e dos anos, ficando diferentes de como eram ao serem reveladas. Você talvez venha a perceber ao redor de algo luzes ou globos luminosos que não estavam lá quando a foto foi tirada. Foi o que aconteceu com a foto espiritual do meu cunhado Dennis. No começo, minha irmã só enxergava o perfil dele, mas, meses depois, já dava para distingui-lo com clareza, e havia mais dois espíritos ao fundo. Um deles parecia ser a minha mãe.

Repito que o melhor local para se registrar espíritos, luzes e globos luminosos em filme é onde houver pessoas. Não tente procurá-los em um cemitério ou em espaços vazios. Os espíritos estão sempre próximos à energia viva e vibrante, principalmente se for a energia de seus entes queridos.

A mulher dos gatos

Eu ia participar como convidado de um programa de televisão, quando Evan, um dos integrantes da equipe, se aproximou de mim, esbaforido, e perguntou:

– Como se faz para eliminar espíritos da casa da gente?

Sugeri que ele me explicasse a situação.

– Um casal de amigos meus acabou de se mudar para um sobrado da década de 1930, em Hollywood, e estão acontecendo coisas muito estranhas por lá.

– O quê, por exemplo?

– Barulhos altos. Portas batendo. Sons de estalos.

– Mais alguma coisa?

– Eles falaram que tiveram problemas com o encanamento. A casa tinha acabado de ser inspecionada quando eles se mudaram para lá, mas os canos estouraram. Eu mesmo já senti uma corrente de ar frio em algumas partes da casa. Eles sabiam que você iria participar do programa e me pediram que verificasse se você poderia ajudar.

– Para mim, isso está parecendo um espírito preso à Terra, e eu sou especializado nos que já fizeram a travessia rumo à luz.

Evan pareceu decepcionado. Prossegui:

– Mas posso ir até lá com você para tentar ver que tipo de problema está acontecendo e se consigo ajudar o espírito a seguir em frente.

O rosto de Evan se iluminou.

– Ótimo! Vou dar a notícia aos meus amigos. Eles vão ficar muito aliviados.

Wally e Lisa Mackel me receberam na sala de sua casa no fim da tarde do dia seguinte. Quando cheguei, fui apresentado a Marlene, Bert e Rob, um time de caça-espíritos local.

Perguntei a Lisa:

– Por que você deseja a minha presença aqui se já tem a sua própria equipe de caça-espíritos?

Ela respondeu:

– Achei que não faria mal engrossar as fileiras para tentarmos pegar esse espírito.

Dei risada.

– Uma coisa não tem nada a ver com a outra. Geralmente eu trabalho melhor sozinho.

Achei que Marlene, obviamente a líder da equipe de caça-espíritos, não gostou muito do comentário.

– Farei o que você quer, mas terei que pedir-lhes para ficarem fora do recinto em que eu estiver trabalhando.

Eu não queria que a empolgação ou o medo deles interferisse em meus esforços.

Os integrantes da equipe deram de ombros e foram para outra parte da casa.

Falei um pouco sobre o mundo dos espíritos e como ele funciona.

– Sou capaz de sentir quando a energia de um local está perturbada. Não posso prometer nada, mas farei tudo o que puder para ajudar a trazer paz a esta casa.

Enquanto eu estava lá com Lisa e Wally, um espírito entrou em foco e ficou em pé ao lado de Lisa.

– Há uma pessoa chamada Ralph aqui – olhei para Lisa. – Ele se encontra na luz e está conectado a você.

Lisa reconheceu Ralph.

– Sim, é meu pai, já falecido. Eu o chamei muitas vezes para proteger Wally e eu de qualquer mal que ocorra na casa.

Nesse exato momento, Marlene e sua equipe entraram na sala. Marlene exclamou em voz alta:

– Não estou captando nenhuma energia de espírito perto de Lisa.

– Isso é porque você não é médium – respondi.

Marlene murmurou algo com ar irônico.

– Ralph está me dizendo que há duas pessoas, um homem e uma mulher, que estão causando problemas.

Assim que eu disse isso, Ralph sumiu, e nós ficamos ali, mais desorientados que antes.

Então dei início ao meu ritual para purificar a casa. Fui de cômodo em cômodo registrando as impressões que captava. Eu conseguia dizer se havia um desequilíbrio energético ou um espírito malévolo por perto e era capaz de captar a natureza emocional do espírito. Comecei pela suíte principal, onde tudo parecia estar bem. Então, fui até a despensa dos fundos, onde imediatamente captei a energia de uma mulher mais velha que estava bastante aborrecida com alguma coisa.

– Parece que ela gosta de ficar por aqui, indo e vindo.

– É – Lisa respondeu. – Os armários abrem e fecham todo dia na mesma hora, bem aqui!

Marlene gritou novamente, não só interferindo na minha investigação, como também afetando a energia do local, pois suas vibrações não eram boas.

Fui até a sala e vi Ralph mais uma vez.

– *Quem é a mulher que está presa à casa?* – perguntei.

Ele me explicou:

– *Há uma mulher aqui desde a década de 1920. Ela está muito irritada porque tinha 17 gatos e agora não consegue achar nenhum. Ela acredita que alguém os levou e diz que não vai embora até encontrar todos.*

Pensei com meus botões que a mulher jamais iria sair da casa. Ralph prosseguiu.

– *O marido dela fez a travessia para a luz e costuma vir até aqui para tentar levá-la, mas ela não o vê, de tal forma está obcecada pelos gatos.*

Quando Wally e Lisa entraram, contei o que Ralph tinha dito.

– Incrível – disse Wally. – Vamos ter que verificar quem foram os antigos donos da casa.

Marlene retornou, e percebi que havia algo grudado nela. Parecia uma entidade de baixo nível espiritual. Não ousei falar nada. Ao passar por mim, ela disse:

– Gatos? Você está totalmente errado.

Marlene foi embora com seu grupo, sem saber que havia energia negativa presa a ela e a um de seus cinegrafistas. Grandes caça-espíritos!

Pouco tempo depois, o barulho começou para valer. Eu explicava a Wally e a Lisa a diferença entre espíritos presos à Terra e aqueles que já haviam feito a travessia rumo à luz. De súbito, duas portas de armário se abriram na despensa com um som altíssimo. Fomos correndo olhar. No mesmo instante, sentimos um agradável perfume de gardênia e algo passou na minha frente.

– Ahhh! – Lisa berrou. Ela olhou para mim e disse: – Senti alguém me atravessar.

Enquanto eu me aproximava para ajudá-la, a porta da frente se abriu sozinha e bateu contra a parede, assustando a todos. Quando olhei na direção da porta, vi um cavalheiro de aparência jovem, vestido de smoking, estendendo a mão. Compreendi que era o marido da senhora idosa que viera buscá-la para conduzi-la até a luz.

Apressei-me em enviar um pensamento para o espírito que estava preso à Terra.

– É hora de seguir seu marido e ir para casa. Ele está aqui para resgatá-la. Seus gatos estão com ele.

Infelizmente, não recebi nenhuma comunicação em resposta vinda dela e fiquei sem saber se minhas palavras tinham surtido efeito.

Enquanto eu mantinha os olhos no marido, vários gatos começaram a correr pela sala e cercaram os pés dele. Foi muito estranho. Eu continuava enviando continuamente pensamentos para a senhora. Imaginei que, a essa altura, ela já devia ter visto os gatos.

Então o marido sorriu e estendeu a mão de novo. Eu sabia que ele finalmente estava pegando na mão da esposa.

Virei-me para Wally e Lisa, mas eles já sabiam o que eu ia dizer.

– Ela se foi, não é mesmo? – perguntou Lisa.

– Acredito que sim – respondi.

– Dá para sentir. A atmosfera parece ter ficado bem mais leve.

Respondi:

– É porque agora ela se encontra onde deveria estar.

O jovem casal ficou tão feliz que não parava de me agradecer.

– Mantenham a energia feliz e maravilhosa que vocês criaram nesta casa. E continuem espalhando a mensagem de que há vida após a morte.

Quando eles me acompanharam até a porta, Lisa acendeu a luz da varanda. Olhei para baixo e engoli em seco. No segundo degrau havia um pequeno pássaro marrom com o pescoço quebrado.

– Talvez um dos gatos o tenha deixado aqui como prova de seu amor.

Fenômenos eletrônicos de voz

Há ocasiões em que o espírito materializa o som de sua voz física em uma fita eletromagnética. É uma ocorrência conhecida como Fenômeno Eletrônico de Voz (FEV). Caçadores de espíritos já conseguiram capturar com sucesso vozes reais de espíritos com o uso de gravadores de fita. Ao utilizar esse método, o investigador deve posicionar o gravador em uma área "quente", um local onde a atividade espiritual se concentre. Durante a gravação, você não ouvirá nada. Mas, quando a fita for tocada, geralmente em velocidade mais lenta, palavras ou frases breves ditas por um espírito poderão ser detectadas. A maior parte dessas mensagens é benigna ou não faz sentido algum, e de vez em quando é possível compreender palavras perfeitamente.

O Fenômeno Eletrônico de Voz já foi registrado em todos os tipos de equipamentos eletrônicos, de gravadores baratos de fita cassete a radiomadores, televisores e computadores. Já tive o imenso prazer de falar com a fundadora da American Association of Electronic Voice Phenomena (Associação Americana de Fenômenos de Voz Eletrônica), Sarah Esteph, que registrou centenas de horas de vozes e sussurros de espíritos. Ela comanda uma organização incrível, conhecida no mundo todo. Sua integridade e honestidade em relação ao trabalho são inquestionáveis.

Se você tem interesse no assunto, saiba que, todas as vezes que investigar o mundo invisível, poderá receber mais do que pediu. As mensagens que chegam até você podem ser desde frívolas até assustadoras.

Jamais me esquecerei do e-mail (e depois da fita) que recebi em 1997 de uma jovem muito perturbada que visitou meu site e pediu aconselhamento. Becky, que infelizmente não sabia nada a respeito de FEV, era música e engenheira de som. Ela trabalhava em um estúdio improvisado em sua casa em Santa Barbara, na Califórnia. Bandas locais iam até seu estúdio várias vezes por semana para gravar. Certa vez, tarde da noite, Becky estava trabalhando com algumas músicas que haviam sido gravadas à tarde. No meio da segunda música, ela ouviu claramente a voz de um homem dizendo bem rápido:

– Seu pai vai morrer!

Becky tocou a fita de novo várias vezes. As palavras saíam em tom muito baixo na mesa de som. Ela pensou que talvez um dos membros da banda estivesse brincando com ela. Então, no dia seguinte, quando a banda chegou ao estúdio, ela tocou a gravação para todos escutarem. A banda ficou perplexa.

Becky explicou:

– Meu pai e eu brigamos, e faz quatro anos que não nos falamos.

– Que coisa interessante – respondi.

– Há alguns meses, andei pensando muito nele. Fiquei achando que talvez eu devesse pegar um avião para ir ao seu encontro para acertarmos as coisas entre nós.

– E você fez isso?

– O trabalho consome todo o meu tempo e a minha energia. Ainda não pude ir visitá-lo.

– Você reconhece a voz da fita?

– Não. Eu não seria capaz de identificá-la.

Dois dias depois do nosso chat na internet, Becky recebeu um telefonema de sua irmã. O pai tinha falecido.

Para mim era óbvio que o espírito tentara avisá-la.

O tabuleiro Ouija

O tabuleiro Ouija (ou "tabuleiro falante", como era chamado antigamente) talvez seja o método de adivinhação mais mal compreendido de toda a história. Os tabuleiros originais começaram a circular em meados do século XIX, durante a ascensão do espiritualismo. Naquela época, o tabuleiro falante consistia de uma mesa grande, do tamanho das utilizadas em salas de jantar, com letras ao redor da borda. Um indicador triangular, chamado "planchette", era utilizado para apontar as letras. As pessoas colocavam os dedos na planchette e faziam perguntas. A planchette se movia de uma letra para outra, formando mensagens vindas do mundo dos espíritos. Apesar de o visual ter mudado drasticamente nos últimos 100 anos, o tabuleiro ainda é utilizado do mesmo modo para fazer contato com espíritos.

Creio que o tabuleiro Ouija já foi tema de muitas histórias falsas sobre possessão demoníaca, influência de entidades e até mesmo esquizofrenia, devido à ignorância, falta de informação e vários sistemas de crenças religiosas.

Na verdade, o tabuleiro pode ser utilizado para ajudar qualquer pessoa a abrir seu eu intuitivo. O princípio é semelhante ao de uma bola de cristal, um pêndulo, cartas de tarô ou diversos outros instrumentos criados para possibilitar percepções mais profundas. Se você utilizar o tabuleiro Ouija por um bom motivo e do jeito correto, é possível aumentar sua capacidade sensitiva. Usado incorretamente, ele pode deixar o usuário exposto a entidades mais baixas e menos evoluídas e a energias negativas. Antes de se envolver em qualquer trabalho metafísico, você precisa adquirir uma compreensão plena do instrumento utilizado e nutrir o devido respeito por aquilo que está pedindo que aconteça. Estar bem protegido é essencial.

Comecei a usar o tabuleiro Ouija há mais de 20 anos e nunca tive qualquer problema com o apego indesejado de espíritos ou com qualquer coisa de natureza negativa. Talvez você fique surpreso em saber que desenvolvi algumas das minhas habilidades mediúnicas de discernimento trabalhando com o tabuleiro Ouija.

Pouco depois de me mudar para Los Angeles, conheci minha querida amiga Carol Shoemaker, que também é uma pessoa altamente intuitiva. Estávamos em sua casa certa noite quando ela me propôs usar o tabuleiro. Eu não tinha a menor idéia do que fosse e pensei que se tratasse de um tabuleiro de xadrez.

Carol me esclareceu:

– Não, estou falando do tabuleiro Ouija. Eu o utilizava com minha tia Vinnie para descobrir o que iria acontecer nos próximos meses. Era como ouvir uma previsão do tempo.

Como eu sabia que Carol era uma pessoa bastante equilibrada, concordei. Ela me deu um rápido curso básico sobre como utilizar o tabuleiro:

- Purifique o espaço, acendendo incenso para afastar do local as energias indesejadas ou inferiores (que ela chama de dispersivas).

- Pegue uma vasilha e encha de água. Ela agirá como condutor da energia dos espíritos e ajudará a transmitir energia. (Uma observação: Você já notou como é freqüente ter percepções quando se está no chuveiro ou na banheira? A água é um excelente condutor de energia.)
- Acenda uma vela para atrair uma luz de proteção ao redor de todos os participantes.
- Coloque música agradável ao fundo. Música suave pode ajudar a elevar a vibração a um nível muito alto.
- A próxima e mais importante parte do ritual é passar vários minutos meditando e se concentrando.

Carol disse para eu me concentrar no amor e visualizar uma luz branca ao nosso redor. Fizemos isso por cerca de dez minutos. Comecei a me sentir maravilhoso e leve. Abrimos os olhos e colocamos os dedos na planchette. Carol explicou que os espíritos iriam se mesclar às nossas auras e nos influenciariam para que movêssemos o indicador de uma letra para outra.

– Você provavelmente vai sentir o estado emocional e a personalidade dos espíritos – disse ela.

Bom, eu estava pronto. Imediatamente, senti uma incrível sensação de formigamento nas mãos. Olhei para Carol e ela me perguntou.

– Está sentindo um formigamento?

Assenti. De repente, a planchette começou a traçar círculos em velocidade altíssima. Era quase impossível segurá-la.

Olhei para Carol, atônito.

– É você quem está fazendo isso?

– Não, James, é o espírito. Eles fazem isso para aumentar a energia antes de conseguir falar.

Senti uma onda de eletricidade agradável correr através de mim. Também senti uma quantidade enorme de amor. Carol e eu olhamos para o tabuleiro e ele começou a formar as seguintes palavras:

> JAMES EU SOU O ANJO DO AMOR. SOU SEU GUIA ESPIRITUAL. EU TRABALHAREI COM VOCÊ PARA TRAZER OUTRAS ALMAS PARA A LUZ DA COMPREENSÃO E DA VERDADE.

Senti como se aquela fosse uma reafirmação da minha vocação espiritual. Aquilo soava absolutamente correto e real.

A sessão continuou por mais algumas horas. Outras almas, como o pai de Carol, sua tia Vinnie e sua avó, apareceram e fizeram previsões para o nosso futuro. Muitas dessas previsões se confirmaram.

Fiquei muito grato a Carol. Passamos vários anos mexendo com o tabuleiro algumas vezes por mês e isso certamente auxiliou no meu desenvolvimento espiritual.

Alguns dias depois da primeira sessão, eu estava em uma livraria de livros esotéricos. Quando me virei para o balcão ao lado do caixa, vi uma fita de música espiritual chamada *Angel Love* (Anjo do amor). Então, eu a comprei.

Sonhos

Durante meus workshops, uma das primeiras perguntas que faço à platéia é:

– Quantos de vocês já tiveram sonhos com um ente querido que faleceu?

Cerca de 90% dos participantes costumam erguer a mão. Todos afirmam que quando têm um sonho com um ente querido, a experiência parece extremamente real. Alguns admitem que nem desejam acordar. Isso é bastante compreensível. Eu acredito que essa experiência pareça tão real porque à noite, quando dormimos, nosso corpo espiritual sai do corpo físico e vai para o outro lado. Lá visitamos nossos entes queridos, guias, animais de estimação e almas gêmeas de vidas passadas.

É por isso que as pessoas dizem que quando querem encontrar a solução para um problema muito difícil é aconselhável dormir um pouco. Acredito que seja possível avaliar melhor qualquer problema quando se está fora da realidade consciente, em um lugar onde seja possível entender a totalidade da experiência a partir de um ponto de vista espiritual.

Se desejar fazer contato com membros de sua família de maneira fácil e segura, pouco antes de ir dormir, peça a seus entes queridos para aparecerem em seus sonhos. Em poucos dias, ou talvez dentro de uma semana, você os verá. Recomendo que você também mantenha um diário de sonhos ao lado da cama para poder registrar rapidamente o que sonhou assim que acordar. Quanto mais tempo se passar depois do sonho, mais provável será que você o esqueça.

Se você quer conhecer seu guia espiritual, peça-lhe para aparecer em seus sonhos e lhe dizer que tipo de guia ele ou ela é e em que seu trabalho consiste. Pode acreditar, isso funciona.

Incorporei uma técnica em um de meus CDs de meditação para ajudar as pessoas a reconhecerem seus guias. Recebi inúmeros e-mails de pessoas que não apenas puderam ver seus guias, mas se surpreenderam com quem apareceu.

Mediunidade

Um médium é um indivíduo que tem a capacidade de fazer contato com o mundo espiritual por meio de fenômenos psíquicos de natureza física ou mental. Como médium mental, tenho diversas habilidades que possibilitam me comunicar com o além, incluindo:

- *Clarividência:* Normalmente conhecida como "segunda visão", a clarividência é o meio pelo qual um médium pode visualizar espíritos, ver cenas, símbolos ou imagens com sua visão mental.
- *Clariaudiência:* Utilizando esta forma de mediunidade, o médium é capaz de ouvir vozes de espíritos como sons ou de ler os pensamentos dos espíritos que vêm à sua mente.
- *Clarissensibilidade:* Esta é a forma mais comum de mediunidade mental. O médium consegue captar e sentir a energia de um espírito, assim como seu estado emocional e sua personalidade.

O outro tipo de médium é o físico. É mais difícil encontrar médiuns com esse tipo de habilidade nos dias de hoje. Esse é um dom fenomenal que exibe os seguintes atributos:

- *Transfiguração:* O espírito sobrepõe seu rosto ao do médium, e os que estiverem presentes no recinto serão capazes de enxergar as características da face de alguém que já faleceu.
- *Aportes:* Objetos completamente sólidos podem se materializar do nada através de um médium físico. Com freqüência, os espíritos fazem aparecer moedas, flores, chaves ou pedras.
- *Escrita automática:* O médium físico é capaz de escrever mensagens sob a influência de um espírito. Dependendo da quantidade de interação entre o espírito e o médium, a caligrafia do próprio espírito pode aparecer.
- *Transe ou canal de transe:* O médium cai em transe e permite que o espírito tome conta de seu corpo. Há muitos graus de transe, do profundo ao leve. O transe profundo é a melhor maneira de um espírito se comunicar com eficiência máxima.

- *Materialização:* Sob as condições adequadas, o espírito drena do médium e de outros à sua volta uma substância conhecida como ectoplasma, manipulando-o para que o espírito assuma uma forma física.
- *Voz direta:* Neste caso, mais uma vez, o espírito drena o ectoplasma do médium e cria uma caixa vocal artificial. O espírito concentra suas energias nessa caixa e fala com sua voz terrena.

O médium físico Leslie Flynt

Quando eu estava desenvolvendo minhas habilidades mediúnicas, tive a maravilhosa oportunidade de conviver com uma alma muito gentil. Brian E. Hurst foi a primeira pessoa que descobriu minhas habilidades. Todo verão, Brian recebia Leslie Flynt, o médium físico sobre o qual já falei. Leslie tinha quase 80 anos e raramente demonstrava suas habilidades em público, mas quando viajava para os Estados Unidos fazia uma sessão mediúnica para Brian e outros convidados. Tive a sorte de estar presente em quatro dessas sessões. Em cada uma delas, experimentei uma forte sensação de ansiedade e incerteza. Realmente era preciso ter coragem para ficar sentado no escuro, escutando vozes do além.

Eram 19 horas e dez de nós estávamos espremidos no quarto dos fundos do sobrado de Brian. Como Leslie era um médium físico do tipo "voz direta", o recinto tinha que estar totalmente às escuras para que o ectoplasma se manifestasse. Eu estava sentado em um sofá entre um homem e uma mulher. Fazia calor, pois isso aconteceu durante o verão.

Quando Brian apagou as luzes, fui imediatamente transportado de volta à infância, quando me reunia com amigos em uma tenda no porão para contar histórias de espíritos, cada uma mais assustadora do que a outra. Senti um grande desconforto. A única coisa que eu escutava era o som das pessoas respirando enquanto esperavam que os espíritos fizessem contato. Passamos os 20 minutos seguintes conversando sobre amenidades e vendo o ectoplasma lenta e delicadamente sair do nariz e da boca de Leslie, criando uma laringe artificial. De repente, senti em volta do pescoço um frio extremo que desceu até as pernas. Outras pessoas sentiram o mesmo.

– Alguém viu um espírito? – perguntei.

– Não, ainda não – responderam em coro.

De repente um som agudo e penetrante irrompeu no ar e uma voz gritou de dentro da escuridão.

– *Agora vocês estão me ouvindo?* – Era o sotaque muito londrino de Mickey, o líder espiritual de Leslie. Mickey era um garoto que entregava jornais no início do século XX e morrera atropelado por uma carroça. Mickey era o controle de Leslie, ele organizava os espíritos que iriam falar conosco.

Eu escutava a voz de Mickey vindo do meio do teto. Ele falava muito alto, sua voz parecia estar saindo de um megafone. Leslie observou:

– Mickey parece estar com bastante energia esta noite.

Eu estava perplexo com a situação toda. A sensação era de ter embarcado em uma jornada imprevisível rumo ao desconhecido, vivendo uma experiência que só acontece uma vez na vida.

Mickey fez um comentário para cada pessoa no recinto. Quando chegou a minha vez, exclamou:

– *Ah, você é o James. Alguém já lhe disse que você tem poderes psíquicos?*

– Já disseram sim, Mickey – gritei, todo nervoso.

No mesmo instante, ele replicou:

– *Bom, então, o que você está fazendo a respeito disso?*

– Estou participando de um círculo de desenvolvimento – respondi. Então ele foi embora, deixando-nos trêmulos.

Mickey trouxe vários outros espíritos que desejavam entrar em contato com alguém que estava ali. Fiquei esperando que algum conhecido fizesse contato para eu ter certeza de que aquilo que estava ouvindo era real.

Finalmente aconteceu. Uma voz de homem com sotaque francês chamou:

– *Está me ouvindo? Está me ouvindo? Quero falar com James. Quero falar com James.*

Quase desmaiei. Pensei: "Quem será esse francês e o que ele quer comigo?"

– *James, você é sensitivo, tem dons psíquicos, é uma pessoa criativa. Sabe, quando eu estava no seu mundo, eu era um artista. James, estamos trabalhando com você. Temos muitos planos importantes para você, meu amigo. Você não vai entender agora o que eu vou dizer, mas no futuro vai saber do que eu estava falando. Estamos olhando você, meu amigo. Está ouvindo? Um dia você vai escrever um livro e ajudar muita gente. Vai viajar sobre a água para ajudar muitas pessoas. Está me entendendo?*

Fiquei extremamente nervoso... Mais tarde pude ouvir tudo em uma gravação. Naquele momento, perguntei:

– Minha mãe está por aqui?

O francês respondeu:

– *Espere.*

Então Mickey interrompeu.

– *Sua mãe tinha problemas cardíacos?*

– Tinha sim, Mickey. Ela está aí?

– *Está, sim. Espere um pouco.*

O momento que eu esperava finalmente chegou. Ouvi a voz de minha mãe que morrera havia três anos:

– *Jamie... Jamie, está me ouvindo?*

Comecei a chorar. – Estou sim, mamãe.

– *Eu te amo. Eu te amo. Eu te amo* – ela disse.

Então a energia começou a falhar e ela desapareceu.

Aquela foi uma das experiências mais felizes que já tive. Está registrada em uma fita que me permite reviver cada momento. O mais espantoso é que as informações dadas pelo francês não fizeram o menor sentido para mim em 1987, mas compreendi depois que meu primeiro livro, *Conversando com os espíritos*, foi publicado, em 1997. Atravessei oceanos para promover o livro.

Essa descrição serve apenas para ilustrar que há sempre algum espírito ao nosso lado. Posso garantir isso.

dez

Proteção

Quando as pessoas ficam sabendo que sou capaz de falar com os mortos, a primeira coisa que perguntam é: "Tem alguém perto de mim agora?" Depois seus olhos se arregalam assustados quando elas fazem a segunda pergunta: "Você não fica com medo?"

Parece que os vivos, mesmo os mais curiosos, sentem muito medo ao saber que estão cercados por um mundo de seres invisíveis.

Por que as pessoas têm tanto medo? Será medo da morte e de morrer? Será que é necessário temer os espíritos? Do que exatamente devemos nos proteger? Conhecimento é poder, e se tivermos mais informações a respeito dos espíritos, não sentiremos medo quando percebermos que eles estão entre nós.

Ao longo de todo o livro, afirmei que tudo é energia, inclusive nossos pensamentos. Só de pensar em alguém, você já está se concentrando naquela pessoa e enviando energia diretamente para ela. Essas formas vivas de pensamento não podem ser detectadas por nossos cinco sentidos. Se alguém lhe envia pensamentos emocionais negativos, como "Eu o odeio" ou "Você é um fracassado", você talvez sinta o efeito desses pensamentos sem identificar a fonte. Formas de pensamento negativo podem tentar entrar em seu campo de energia, ou aura, e, se você não se protege de forma adequada, essas energias negativas gradualmente se desenvolvem dentro de seu corpo e de sua mente. Os resultados serão prejudiciais para seu bem-estar e a sua paz de espírito. Quando isso acontece, a pessoa sofre do que é chamado de "ataque psíquico".

Como saber se você está tendo um ataque psíquico? Geralmente leva algum tempo até que a energia negativa se acumule, mas quando isso acontece, ela pode ser diagnosticada pelos seguintes sintomas: irritação fácil, insônia, depressão ou raiva sem motivo aparente, exaustão e pensamentos constantes de medo e perda de controle. A pessoa se sente como se não fosse ela mesma – e de fato não é, porque está sofrendo influências da energia negativa que entrou em sua aura. Essa energia penetrou em todas as áreas de seu ser e está prejudicando sua capacidade de discernimento. Os efeitos de um ataque psíquico afetam todas as dimensões da vida: emocional, física, mental e espiritual.

Quando eu fazia meu programa *Beyond*, gravava quatro programas por dia, dois de manhã e dois à tarde. Cada um incluía duas sessões individuais para pessoas pré-selecionadas pela equipe de produção. Para manter a credibilidade do trabalho, eu não me envolvia na seleção dessas pessoas nem tinha contato com os produtores até o dia da gravação. Foi um erro, porque os responsáveis pela produção desconheciam totalmente a natureza sensível de um médium e os efeitos negativos que a energia emocional instável de outras pessoas pode causar. As sessões espirituais mostraram desde assassinatos em série até a mãe que matou os filhos sufocando-os. Acabei me envolvendo em inúmeras situações perturbadoras, e me sentia como um cristão atirado aos leões. Como a produtora executiva de *Beyond* não era capaz de prever os resultados de minhas sessões, ela instruiu os produtores do segmento (sem eu saber) a procurar pessoas em situações de extremo desespero.

Mesmo com anos de experiência, não fui capaz de prever o quanto essas situações negativas e estressantes acabariam me afetando. Ao me abrir para o mundo espiritual, acabei atraindo todo tipo de energia para minha aura. A exposição a tanta energia negativa me deixou vulnerável a um terrível desequilíbrio emocional. Por mais que eu me cercasse de proteção, a constante energia negativa, dolorosa e nociva acabava prejudicando minha psique. Era como se eu fosse um alvo em um campo de tiro usando apenas um colete à prova de balas.

Depois de vários meses entrando em contato com homicídios, suicídios e outras formas de depravação e destruição humana, eu não conseguia mais ter uma boa noite de sono. Abandonara minha dieta e comia coisas que nunca havia experimentado. Qualquer pequena provocação me deixava irritado. Naquela época, não me ocorreu que minha exaustão permanente se devia às minhas sessões espirituais. Achei que estava esgotado devido às longas horas de gravação e à minha agenda lotada. Mas era muito mais do que isso.

Acabei marcando uma consulta com meu amigo Michael Tamura, um renomado curandeiro psíquico. Michael é muito talentoso, não apenas para extrair a energia do nível psíquico, mas também para discernir suas características e fontes. Durante a sessão de duas horas, Michael removeu diversas camadas de energia que pertenciam a muitas pessoas falecidas. O que me surpreendeu, porém, foi a quantidade de energia que ele removeu vinda de pessoas da platéia que tinham expectativas estranhas em relação ao que eu seria capaz de revelar. A energia mais interessante que Michael tirou da minha aura estava cheia de medo dos executivos da rede de televisão e dos produtores do programa. Michael explicou que uma das produtoras do programa era muito desvalorizada quando criança, e por isso "precisava" do sucesso da série para sentir-se tão bem-sucedida quanto seus colegas homens.

Fiquei perplexo com as descobertas de Michael. Depois de sua intervenção de cura, voltei a me sentir eu mesmo. Ondas de energia incríveis fluíam pelo meu corpo. Naquela noite dormi bem pela primeira vez em meses e me senti menos irritável e impaciente.

Michael me relembrou de algo que eu já sabia, mas que tinha esquecido de usar em meu próprio benefício. Quando oferecemos nossa energia para outras pessoas, é preciso reavê-la. Do contrário, acabamos nos sentindo esgotados. Desde então, toda vez que faço uma sessão para alguém, medito logo depois sobre aquela pessoa e visualizo minha própria energia saindo dela e voltando para mim. Isso funciona! Nunca mais senti aquela enorme sensação de cansaço e irritação.

Espíritos à espreita

Acredito que os espíritos invadam a aura de uma pessoa e influenciem seu invólucro físico com o intuito de reviver alguma experiência física específica. Quando falei de possessão, no capítulo anterior, expliquei como um espírito é capaz de exercer influência nociva sobre alguém. Quando os espíritos invadem o seu espaço, você pode sofrer dores de cabeça constantes, desconfortos incomuns no corpo, indigestão e problemas estomacais, depressão, dores de ouvido e de garganta. Você pode ter pensamentos ou comportamentos atípicos ou sonhos e pesadelos particularmente anormais.

Há muito sinais-chave capazes de servir de alerta para você perceber que há um espírito habitando seu espaço físico:

- A ambiência do recinto parece sombria ou densa. Toda vez que vou a um local onde existe muita energia dos espíritos, o lugar parece meio pesado, como se eu caminhasse através de piche.

- Variações elétricas sem explicação ocorrem na sua casa ou em máquinas e aparelhos, como lâmpadas, computadores, televisões, rádios, portas de garagem e banheiras de hidromassagem. Se seus aparelhos ligam e desligam sozinhos, pode apostar que você está compartilhando o espaço com um espírito preso à Terra.
- Há um cheiro característico ou um perfume no ar que não é possível reconhecer.
- Alterações de temperatura são sinal claro desse tipo de atividade. Você percebe que há locais frios em determinadas áreas de sua casa. Talvez sinta correntes de ar ou arrepios e calafrios. Sensações de frio quando as portas e janelas estão fechadas ou o aquecedor está ligado é um sinal claro de que há um espírito drenando a energia dessas áreas.
- Você sente que está sendo observado quando não há ninguém por perto.
- Você sente que alguém tocou em você.
- Você ouve som de batidas ou de arranhar na porta, passos, alguém batendo em um objeto, vozes, sussurros ou música.
- Você vê luzinhas oscilantes com o canto dos olhos. Elas são chamadas de luzes espirituais.
- Objetos na sua casa foram movidos de um lugar para outro sem que você os tenha tocado. Ou então os objetos desaparecem completamente e você nunca mais os encontra.
- A água na sua casa liga e desliga sozinha.
- O comportamento do seu animal de estimação parece estranho. Seu gato ou cachorro olha para alguma coisa invisível próxima a você.
- Você percebe marcas ou pontos afundados na cama, no sofá ou em uma cadeira em que ninguém se deitou ou sentou.
- O telefone toca e, ao atender, você ouve apenas estática.

- Você tem pensamentos muito diferentes dos seus, como aconteceu com minha amiga não-fumante que sentiu vontade de comprar cigarros.

O espírito raivoso

O termo *poltergeist* vem do alemão e significa "espírito barulhento". Ele passou a fazer parte do vocabulário comum com o sucesso do filme *Poltergeist – O fenômeno*, criado por Steven Spielberg na década de 1980. Os tipos de atividades associados a *poltergeists* incluem ruídos estranhos, objetos que se movem ou desaparecem e odores desagradáveis. Em parte pelo modo como esses espíritos são mostrados em filmes, muita gente acredita que a atividade de *poltergeist* está relacionada a um espírito raivoso ou que deseja chamar atenção. Acredito que o *poltergeist* não é necessariamente um espírito mau, talvez simplesmente um que consegue reunir energia suficiente para se manifestar de forma mais óbvia e forte.

Há muitos anos, eu caminhava entre as prateleiras do supermercado do meu bairro quando senti uma pancadinha no ombro. Virei-me e deparei com um homem de pouco mais de 20 anos, parecendo muito nervoso. Ele gaguejou:

– Ahh... Por favor, perdoe-me, ahh... Você é o Sr. Van Praagh? Perdoe-me por incomodá-lo, mas eu o reconheci da televisão e achei que talvez pudesse me ajudar.

– Não faço mais sessões particulares – respondi.

– Eu... Na verdade, não quero uma sessão, mas não sei a quem recorrer.

Dava para sentir o desespero na voz dele.

– Respire fundo – disse eu. Chamei-o então para fora da loja, onde poderíamos sentar para conversar. Ele me agradeceu efusivamente e se apresentou:

– Meu nome é Mike. Vim aqui procurar algumas velas e incensos que possam afastar maus espíritos.

– Por que você acha que existem maus espíritos à sua volta?

– Porque minha esposa e eu já fomos incomodados por um monte de coisas esquisitas em nossa casa, como objetos se movendo e cheiros terríveis. Ouvimos até vozes. O que mais poderia ser?

– Vamos começar do início. Conte exatamente o que aconteceu.

– Minha esposa, Hanna, e eu nos mudamos para Long Beach há dois anos. Eu herdei a casa do meu pai depois de uma longa e intensa batalha judicial.

– Como era seu relacionamento com seu pai antes de ele falecer? – perguntei.

– Ótimo – respondeu Mike. – Meu pai e eu sempre nos demos bem.

– Então, por que você teve dificuldade para ficar com a casa?

– Foi por causa da minha madrasta. Ela queria herdar todo o dinheiro e os bens do meu pai, mas não tinha direito a tudo. Então ela abriu um processo para ficar com a casa.

– Você tem um bom relacionamento com ela hoje em dia? – continuei.

– Não. Nós não nos falamos. Achamos que ela tentou envenenar meu pai, porque encontramos algumas substâncias letais na despensa. – continuou Mike, quase chorando: – Desde que minha esposa entrou em seu sexto mês de gravidez, nenhum de nós dois consegue dormir a noite toda. Há tanto barulho na casa que isso nos mantém acordados. É nosso primeiro filho e temos medo de que essa coisa esteja vindo pegar o bebê. O que podemos fazer?

Eu quis entender melhor:

– Pode ser mais específico a respeito do barulho e da confusão na casa?

– Toda noite, por volta da 1 hora, as luzes do corredor piscam. Ouvimos um som de choro abafado e algo batendo no quarto dos fundos. É o quarto que estamos planejando usar para o bebê. Isso dura uns 15 minutos. Levanto todas as vezes e vou até o quarto. Tenho uma sensação meio esquisita, como se houvesse alguém me observando. Sempre sinto arrepios.

– Há quanto tempo isso está acontecendo?

– Há cinco semanas. Até procurei a igreja do bairro, mas os padres não se interessaram muito pela minha história.

Mike hesitou.

– Você acha que pode ser meu pai? Talvez ele esteja insatisfeito com os planos de reforma da casa.

– É possível – respondi. – Mas duvido que ele fosse capaz de causar esse tipo de distúrbio. O único jeito de descobrir é indo até lá para ver.

Uma semana depois, à noite, cheguei à casa de Mike e Hanna. Hanna convidou-me para entrar.

– Tenho tido sonhos esquisitíssimos – disse ela. – Um deles se repete bastante. Vejo uma casa construída no alto de uma árvore cair dos galhos e se espatifar no chão.

– Posso circular pela casa para ver se capto alguma coisa? – perguntei.

– É claro que sim – respondeu ela, sorrindo.

Fui de cômodo em cômodo, sem sentir nada especialmente fora do comum ou sinistro. A energia parecia normal como a de qualquer outra casa. Mas, ao entrar no quarto dos fundos, percebi que havia uma corrente de ar frio. Era como se aquele cômodo não pertencesse ao restante da casa. De repente, senti uma grande ansiedade e desejo de sair imediatamente de lá. Voltei à sala de estar e me sentei. Fiquei olhando para Mike, na esperança de que seu falecido pai aparecesse e nós pudéssemos descobrir qual a causa de tais perturbações. Mas nada aconteceu.

Olhei para Hanna e um nome surgiu na minha mente.

– Annabelle significa alguma coisa para você?

– Não – respondeu ela.

Então tive mais uma intuição.

– Enlatar tomates significa alguma coisa?

– Tudo o que sei – disse Hanna – é que minha avó tinha uma fazenda em Iowa e eu costumava ouvir histórias sobre ela enlatando sobretudo tomates.

Isso parecia fazer pouco sentido, mas foi tudo o que consegui obter. Eu não sentia que os barulhos estivessem associados à avó de Hanna.

– Quero que vocês dois escrevam diários e descrevam tudo o que acontecer com o máximo de detalhes.

Então eu os ajudei a limpar a casa psiquicamente, embora não tivesse sentido energia negativa em lugar algum, a não ser naquele quarto. Achei que limpar a casa talvez acalmasse seus medos.

Cerca de quatro meses depois, Mike me ligou.

– É um menino. Nós demos a ele o nome de Walter, por causa do meu pai.

Mike falou sobre o bebê, mas eu sabia que havia algo errado.

– Mais algum problema na casa?

Mike hesitou.

– Não, agora as coisas vão bem. Para dizer a verdade, estamos agradecendo a Deus por tudo o que temos.

– O que quer dizer com isso?

– Bem, quando trouxemos o Walter para casa, os ruídos começaram de novo e pioraram. A mobília no quarto do bebê se mexia sozinha e se arrumava em disposições muito estranhas. Uma vez, tivemos a impressão de ter ouvido uma voz chamando "Anna". Hanna e eu ficamos assustados e resolvemos levar Walter para o nosso quarto. Três dias depois, houve uma tempestade terrível e o vento sacudiu a casa toda. À 1 hora, ouvimos um barulho assustador de alguma coisa se arrebentando. Hanna e eu corremos até o quarto de Walter e ficamos apavorados. Uma árvore tinha atravessado o telhado e caído bem em cima do berço do bebê. Se ele estivesse ali, teria sido esmagado e estaria morto.

Mike prosseguiu.

– Tenho uma coisa estranha para lhe contar. Sabe a mensagem que você nos transmitiu sobre a avó de Hanna?

– Sei sim. Sobre tomates enlatados. Eu me lembro.

– Hanna perguntou para a mãe dela sobre o nome Annabelle. A mãe disse que Annabelle era o nome de sua irmã mais velha, que morreu quando bebê. A avó de Hanna se culpava pela morte do bebê e nunca perdoou a si mesma por isso. Achamos que ela estava tentando nos alertar com os ruídos e pesadelos para proteger Walter.

– Não, eu não acho que tenha sido a avó de Hanna. Acho que foi o bebê, a própria Annabelle, que tentou proteger o pequeno Walter.

– Pensando bem – respondeu Mike – na noite passada, Hanna teve um sonho com uma garotinha brincando em uma casa para crianças construída sobre uma árvore, e ela disse que a menina estava toda sorridente.

Essa história termina de forma positiva porque a pequena Annabelle foi motivada a proteger o bebê de sua sobrinha. No entanto, já recebi centenas de cartas de pessoas que tiveram resultados bem diferentes e desfavoráveis com *poltergeists* que batem portas, mudam móveis de lugar, falam e gritam. É necessária uma enorme quantidade de energia para que um espírito preso à Terra se manifeste de forma tão assustadora. Se esse tipo de fenômeno ocorrer na sua casa, sugiro que você procure uma pessoa respeitada no campo da paranormalidade.

Mas se você chegar à conclusão de que há um *poltergeist* por perto, assegure-se de que a atividade não está se originando de pessoa viva com muita energia psicocinética. Se for este o caso, a pessoa precisa aprender técnicas para controlar as explosões de energia e fazer com que ela se manifeste de forma positiva. O melhor conselho que posso dar é: proteja-se. Lembre-se de que a energia negativa só pode entrar se você estiver esvaziado de sua própria energia. Preces e meditação são as melhores maneiras de fortalecer seu campo energético. Você não precisa ter medo, basta estar consciente. As páginas seguintes contêm exercícios para proteger sua aura da energia negativa.

O que é a aura?

Antes de mais nada, quero explicar o que é a aura. A aura, ou aquilo que chamo de "nosso espaço sagrado", é um campo de energia eletromagnética que nos cerca e abrange a atmosfera de todos os seres vivos. A "concha áurica" é composta de diversas camadas, cada uma separada da outra, mas interconectadas dentro da concha. A aura é muitas vezes chamada de "auréola" e mostrada em imagens religiosas, principalmente de Jesus, dos santos e anjos.

A aura envolve a essência dos seres vivos que ela cerca e projeta os pensamentos, desejos e estados mentais, emocionais, físicos e espirituais do indivíduo. Os talentos espirituais inatos de uma pessoa estão claramente definidos na aura, e eu já tive o privilégio de enxergar talentos e aptidões de muitos examinando a aura deles.

Por exemplo, em um workshop recente, vi notas musicais de cores brilhantes sobre a cabeça de uma mulher. Perguntei se ela tinha alguma relação com música, e a mulher respondeu:

– Tenho sim, sempre tive jeito para música, mas nunca desenvolvi esse talento profissionalmente.

Quando ouço que uma pessoa não faz nada a respeito do próprio dom, sinto que ela não está em contato com sua essência.

Se aquela mulher tivesse investido em suas habilidades naturais, ela teria sido extremamente bem-sucedida no campo da música. Mas o medo, as circunstâncias de vida, a situação familiar ou outras razões talvez a tenham impedido de seguir sua vocação e usar seus talentos. Os dons permanecem, mas deixarão de se expandir se não foram usados.

Além de envolver as pessoas, a aura também penetra no nosso ser. Ela é um campo colorido de energia e suas cores representam nosso nível de vitalidade, capacidade mental, bem-estar emocional e compreensão espiritual. A cor predominante é a da parte mais acentuada da nossa personalidade. Se você é muito espiritualizado e tem muita compaixão, sua aura terá mais tons de verde e roxo.

Somos todos protegidos naturalmente por nosso campo áurico, mas às vezes esse campo enfraquece se não for cuidado de modo adequado. Rachaduras e furos podem aparecer nele. Todo tipo de energia psíquica, espiritual ou de outra qualidade é capaz de entrar por essas rachaduras e buracos. Qualquer um talvez exagere em alguma atividade sem perceber que está perdendo energia. Eu certamente não percebi que o meu estava tão exaurido enquanto fazia minha série de TV.

O enfraquecimento e a doença da aura também podem ser causados pelo abuso de drogas, de álcool, por pensamentos e crenças negativas constantes e emoções de medo e raiva. Além disso, se você está perto de locais ou de pessoas negativas, corre o risco de perder energia. Há também uma série de doenças e distúrbios capazes de enfraquecer sua aura.

É importante lembrar que nossos pensamentos e emoções afetam inicialmente a aura e só depois se manifestam no corpo físico. É necessário estar sempre atento a isso e reforçar a aura por meio de prece, meditação e visualizações positivas. Estas são as formas mais eficientes de repelir e combater qualquer energia perturbadora.

Exercício de proteção 1: Para equilibrar sua energia

É importante estar bem centrado antes de iniciar qualquer tipo de meditação protetora ou de visualização. É muito comum ter bastante energia em uma parte do corpo e não ter o suficiente em outra. Fazer esse exercício irá ajudar a criar um fluxo balanceado e constante para que você possa manter a consciência energética de seu corpo.

1. Sente-se em uma cadeira com a coluna reta, apoiada contra o encosto da cadeira. Isso irá assegurar um fluxo adequado de energia para cima, para baixo, para dentro e para fora dos vários centros energéticos, os chakras. Feche os olhos e concentre sua consciência no meio da cabeça, no chakra do terceiro olho. Observe como você sente o seu corpo.

2. A respiração é um dos elementos mais importantes de qualquer exercício. Ela é seu filtro de limpeza. É importante perceber que quando você inspira está absorvendo nova energia e quando expira está descartando energia já utilizada.

3. Concentre sua atenção nas solas de seus pés. Imagine que eles são como troncos de árvore e que as raízes se estendem das solas para baixo, em direção ao centro da Terra.

4. Em seguida, imagine um tubo que sai da base da sua espinha, atravessa o chão e chega ao centro da Terra. Esse tubo será utilizado para liberar qualquer excesso de energia de que você não precise ou que não deseje mais em seu corpo.

5. Enquanto inspira, imagine a energia verde e nutritiva da

Mãe Terra entrando através das raízes em seus pés e chegando até suas pernas, a pelve, o tronco e a cabeça.

6. Quando expirar, libere, através do tubo que está conectado à base de sua espinha, qualquer excesso de energia que possa sentir em seu corpo. Veja essa energia excessiva em tons de cinza e marrom e deixe que ela flua, descendo pelo tubo até a terra.

7. Depois de inspirar e expirar várias vezes, imagine a luz dourada e brilhante do sol pairando muitos metros acima de sua cabeça. Essa luz representa as energias cósmicas. Quando você inspirar novamente, deixe os raios dourados atravessarem o chackra coronário no topo da sua cabeça e descerem pelo seu corpo passando pela cabeça, pescoço, ombros, braços, costas e finalmente chegando ao centro do coração. Enquanto você visualiza as energias terrenas e cósmicas se unindo, sinta-as misturando-se em seu coração.

Exercício de proteção 2: Para reconhecer a energia invasiva e os apegos de espíritos

Uma mulher certa vez reclamou que nada em sua vida estava dando certo.

– O que há de errado comigo? – perguntou ela.

Observei sua aura e disse:

– Não há nada de errado com você, mas de quem é a energia que você está carregando e que está invadindo seu espaço e influenciando suas escolhas?

Qualquer pessoa que pense em você ou com quem você interaja deixa uma impressão indelével em sua aura. Pode ser seu marido, sua esposa, sua mãe, seu pai, seu filho, seu patrão, um empregado ou o vizinho. A maior parte dessas energias é inofensiva, mas algumas podem ser fonte de dores físicas e emocionais. O próximo exercício irá ajudá-lo a se livrar dessas energias parasitárias.

1. Comece com os exercícios para equilibrar sua energia. Lembre-se de continuar respirando em ritmo constante enquanto faz este exercício.

2. Em seguida, imagine que você está em pé atrás de você mesmo, olhando para seu corpo. Enquanto olha para seu corpo, fique sintonizado com o espaço ao seu redor. Como você vê e sente esse espaço?

3. Com sua visão mental, visualize uma tela branca vazia à sua frente. Ela está em um jardim de tulipas coloridas.

4. Imagine óculos especiais de visão energética conectados à tela. Pegue os óculos e posicione-os sobre seus olhos. Eles são capazes de detectar energias intrusas.

5. Enquanto olha fixamente para a tela com os óculos, examine seu corpo e o espaço à sua volta, começando do alto da cabeça e descendo. Faça isso com todo o cuidado. Não se apresse. Algumas energias são mais difíceis de detectar do que outras.

6. Enquanto faz o exame, repare se há certas áreas do corpo e da aura que parecem densas, como se houvesse algum tipo de material preso a elas. Quando visualizar esses bolsões de energia acumulada, peça à energia para identificar quem ou

o que é. A resposta irá aparecer na tela. Se for a energia de uma pessoa específica, você verá o rosto dela projetado na tela. Se for o encosto de um espírito, você deve ver algo projetado na tela. Pode ser a silhueta de uma pessoa, uma massa escura, um acontecimento ou uma situação em particular. Esse passo é vital para a remoção da energia de seu espaço.

7. Ao identificar a energia na tela, envie um comando mental para que ela saia de seu espaço.

8. Em seguida, imagine a energia indesejada sendo absorvida pelas tulipas do jardim que cerca a tela. À medida que a energia vai para as tulipas e retorna à Mãe Terra, ela se transmuta em amor.

9. Se descobrir que a energia é um espírito indesejado, envie mentalmente uma mensagem ao espírito dizendo que ele abandonou o mundo físico e precisa retornar ao seu lar espiritual. Diga-lhe que convoque um ente querido e lhe peça para levá-lo em direção à luz. Se o espírito cooperar, ele será recebido por um ser amado que o ajudará a fazer a travessia para a luz. Lembre-se de que, sem a sua energia, um espírito preso à Terra perde a força e não pode ficar no seu espaço, a não ser que você permita.

Exercício de proteção 3: Para recuperar a sua energia

Você já se sentiu totalmente exausto no fim do dia, mesmo sem haver razão para tal? Sua fadiga pode ser sinal de que você desperdiçou muita energia com as pessoas, os lugares e as situações. Quando se sente esgotado, você fica desequilibrado e o seu bem-estar se prejudica. Os seguintes exercícios irão ajudá-lo a recuperar a energia perdida:

1. Sente-se em uma cadeira confortável, em um lugar onde você não seja perturbado.

2. Comece com o exercício para equilibrar sua energia.

3. Feche os olhos. Lembre-se do início do seu dia, desde a hora em que saiu da cama. Lembre-se de tudo o que aconteceu durante o dia, as pessoas com quem você falou, os lugares onde passou algum tempo e assim por diante.

4. Concentre-se em apenas uma pessoa e uma situação de cada vez. Enquanto enxerga a situação em sua mente, tome consciência da conversa que teve com aquela pessoa, seja por telefone ou e-mail. Dê-se conta de que, a cada conversa, você deixou um pouco de sua energia para trás.

5. Em seguida, lembre-se de suas palavras e pensamentos e visualize-os saindo da pessoa e da situação e voltando para você.

6. Imagine essa energia entrando pelo chakra coronário, no topo da sua cabeça. Visualize-a como uma poeira de estrelas dourada vinda do espaço e preenchendo você com energia renovada.

O banho de luz

A maioria das pessoas não pensa duas vezes antes de tomar uma chuveirada para limpar o corpo físico. Bem, se você puder limpar seu corpo espiritual enquanto está no chuveiro, vai poder começar ou terminar seu dia mais limpo e mais leve.

Quando estiver em pé debaixo do chuveiro, feche os olhos e imagine a água se transformando em uma cachoeira de luz branca. Veja a luz branca fluindo através de seu corpo inteiro, da cabeça aos pés. Enquanto ela flui, vai lavando os detritos psíquicos e a energia estagnada. Essa energia indesejada sai pela ponta de seus dedos das mãos e dos pés e vai direto para o ralo. Ao mesmo tempo, uma energia fresca, limpa e poderosa toma seu lugar. Como proteção adicional, visualize essa luz branca em volta de toda a sua concha áurica, vedando todos os furos e as rachaduras, para que nenhuma energia nociva possa invadir seu espaço.

O espelho refletor

Este é um exercício que você deve fazer antes de entrar em um lugar onde talvez haja energia negativa e você deseje se proteger dos pensamentos e dos sentimentos das pessoas presentes. Imagine um espelho de 360 graus cercando seu corpo inteiro. O lado que reflete aponta para longe de você, formando uma espécie de escudo que o protege. Quando algum pensamento vier na sua direção, o espelho irá refleti-lo e ele voltará para a fonte.

O manto

Quando quiser ir a algum lugar e permanecer anônimo, imagine que está usando um manto de cor escura que cobre seu corpo inteiro, dos pés à cabeça. Você vai ficar maravilhado com os resultados. Ninguém irá perceber sua presença.

A bolha

Imagine uma grande bolha cercando-o completamente. Preencha a bolha com suas cores favoritas, cores que representem e reflitam sua personalidade e que façam com que você se sinta amado. A cada cor, repita mentalmente: "Esta cor me protege contra qualquer negatividade que possa vir em minha direção."

Luz cor-de-rosa

Toda vez que você estiver preocupado com alguém, como por exemplo um filho, e quiser lhe enviar proteção instantânea, visualize essa pessoa cercada de luz cor-de-rosa. A cor rosa representa amor incondicional. Ao visualizar a pessoa na luz rosa, você estará enviando a ela amor e proteção.

Faça-os rir

Se você está junto de pessoas negativas e quer mudar a energia e tornar a atmosfera mais leve, conte uma piada, faça uma careta engraçada ou fale de algo que provoque riso. O riso é um dos mecanismos de defesa intrínsecos da natureza. Ele tem a capacidade de transformar rapidamente a depressão ou tristeza em otimismo.

Ninguém está imune às forças sombrias. Na verdade, a energia escura adoraria invadir uma pessoa boa e sugar toda a sua energia positiva. Aonde quer que você vá, cerque-se sempre da luz branca do espírito e lembre-se de que leva apenas um minuto ou dois para se proteger de vampiros psíquicos – humanos ou espirituais.

onze

Uma vida iluminada

Imagine o que aconteceria se você dissesse a uma família que vive na pobreza mais abjeta que há um baú cheio de ouro sob o piso de terra de seu barraco. Bastaria remover as camadas de terra de cima do ouro, e ficariam ricos para sempre. Do mesmo modo, não temos consciência do tesouro da nossa natureza espiritual, escondido pela ignorância e pela ilusão.

– Primeiro Ensinamento de Buda

No decorrer dos anos, já fui entrevistado por muitos repórteres de diversas partes do mundo. Os mais desinibidos sempre me fazem uma pergunta que me deixa intrigado: "Depois de todos esses anos e de centenas de milhares de mensagens e descobertas espirituais, você continua achando que o que faz é fantástico e miraculoso?"

Para isso, só tenho uma resposta: Continuo, sim. Porque mais uma mente se abriu.

Até aqui você aprendeu algo sobre os espíritos invisíveis que nos cercam e sobre os mundos que eles habitam – e talvez tenha aprendido a apreciá-los. Depois de tomar conhecimento neste livro de tantas histórias sobre experiências espirituais vividas por mim, é possível que muitas de suas perguntas sobre a vida após a morte tenham sido respondidas e que outras comecem a surgir. Talvez sua mente tenha se aberto para perspectivas inteiramente novas sobre a vida, a morte e o que existe entre as duas. Eu certamente espero que sim.

Logo que comecei a me comunicar com os mortos, eu me sentia como uma criança em uma loja de doces. Cada trabalho era uma verdadeira aventura porque, sendo muito novo no ramo, eu nunca sabia se os espíritos iam ou não aparecer e, caso aparecessem, se eu seria capaz de vê-los e de compreender o que tinham a me dizer. Muitas vezes eu me perguntei se seria capaz de me sustentar com essa atividade. Há 20 anos os médiuns não eram tão populares como são hoje. Aliás, naquele tempo era raro encontrar um médium decente. Eu só sabia que precisava ser honesto comigo mesmo e seguir as orientações que recebia do além. Se este fosse de fato o meu lugar no mundo, eu não teria com o que me preocupar. Afinal, meu trabalho derivava do mundo espiritual e eu era apenas um porta-voz. Por isso, deixei de lado minhas preocupações e mergulhei de cabeça no trabalho. E tenho aproveitado cada minuto de atividade desde então. Não é exagero afirmar que eu provavelmente já experimentei, ouvi, vi, senti e testemunhei todos os cenários de morte imagináveis e estive envolvido em todos os tipos possíveis de dinâmica familiar.

No começo, amei intensamente o meu trabalho porque ele é muito profundo. Sentar-se com uma pessoa e transmitir-lhe mensagens de seus entes queridos falecidos, ver um indivíduo enlutado, deprimido e solitário transformar-se totalmente sempre me comoveu demais. Quando eu pedia aos meus clientes que descrevessem suas experiências, eles muitas vezes não conseguiam achar as palavras certas para isso. Uma mulher, porém, uma vez me olhou direto nos olhos e disse:

– Foi como ver a luz de Deus.

Essas conexões dão às pessoas uma nova perspectiva de vida e uma melhor compreensão a respeito delas mesmas e do mundo em geral. É claro que eu já possuía um forte sistema de crenças antes de iniciar meu trabalho. Durante toda a vida, eu sempre acreditei que todos nós sobrevivemos à morte. Por isso, além de os espíritos oferecerem evidências para provar sua existência a seus entes queridos, as mensagens que eles transmitem são importantes tanto para meus clientes quanto para mim. Elas permitem que eu me sintonize com as dimensões espirituais e sinta as nuances que existem entre os mundos. O trabalho abriu minha mente para uma atitude inteiramente nova em relação à vida.

Quando uma pessoa absorve as verdades eternas das dimensões espirituais, ela muda completamente e transforma sua visão e sua prática de vida. Foi como se eu tivesse andado de carro a vida inteira e de repente descobrisse que podia pegar um avião para chegar ao meu destino. Depois de ter a experiência de voar, eu não podia mais negar essa possibilidade. Enxerguei o mundo da altitude de 10 mil metros e, com essa nova perspectiva, minha visão se expandiu.

A vida é feita de mudanças. Mudança é a única coisa constante em nossa existência. Por isso, além do conhecimento espiritual, é necessário ter fé, confiança e coragem para ultrapassar nossos limitados sistemas de crença e expectativas e tentar experiências completamente novas.

Aprendi que, quando alguém busca a verdade, deve tornar-se responsável por si mesmo.

Você, leitor, chegou a uma encruzilhada e tem uma escolha a fazer. Pode encarar este livro como um relato informativo e interessante sobre o mundo dos espíritos e voltar para sua vida cotidiana com a mesma mentalidade que tinha antes da leitura. Ou pode prosseguir em sua jornada de descoberta e abrir a mente e o coração para o fato incontestável de que os espíritos são reais e de que um dia você será um deles. Sinto-me privilegiado por ser um instrumento capaz de ajudá-lo a voltar para a sua fonte espiritual. Por enquanto, você está vivendo temporariamente em um invólucro, em um ambiente físico temporário. Se utilizar as idéias contidas neste livro, pode fazer com que sua vida se transforme de maneira expressiva.

Que caminho você escolherá?

Espero sinceramente que tenha coragem para escolher o caminho menos percorrido e explorar essas novas percepções. Deixe que elas ressoem dentro da sua alma.

O Eu Superior

Você é um ser composto por muitas partes. É um absurdo pensar que a alma é limitada em qualquer sentido. A alma não é humana. Ela é formada por vibrações e freqüências que estão além do reino físico. Cada vibração e cada freqüência tem uma aparência diferente. Seu corpo está na parte mais baixa das freqüências de sua alma. Ele é denso e se move devagar. Na parte mais elevada se encontra a sua parte mais pura. É o seu "Eu Superior".

O Eu Superior é sua *verdadeira* natureza divina. Ele conecta você diretamente aos domínios espirituais e transcende sua consciência limitada. O Eu Superior é um eu de alegria, de amor, de compaixão e de felicidade. Ele contém os elementos mais virtuosos e não-poluídos de sua alma que estão apenas esperando para serem descobertos e expressos. Toda vez que você diz as palavras "eu te amo" para outra pessoa, traz à tona elementos do seu Eu Superior.

O Eu Superior é diferente do "eu inferior", ou "eu do ego", porque este é parte do ser "humano". O eu do ego é completamente focado em si mesmo. Se for mal utilizado ou estiver desequilibrado, fica aprisionado nas ilusões do mundo físico e deseja coisas que não pode ter. Há inúmeras pessoas que se empenham durante toda a vida em acumular riquezas, acreditando que isso lhes trará felicidade verdadeira. E o que acontece? Apesar da fortuna amealhada, estão permanentemente insatisfeitas. Por mais que conquistem os objetos de seu desejo, experimentam uma sensação constante de vazio. Se essas mesmas pessoas se dispusessem a doar a maior parte do que possuem para beneficiar os mais necessitados, suas almas se sentiriam satisfeitas, porque a doação incondicional vem do Eu Superior.

Será que é assim tão difícil abandonar os desejos inferiores do ego e tomar consciência dos elementos mais elevados de seu verdadeiro eu? Lembre-se: antes de mais nada, você já é espírito. Seu Eu Superior já existe. Em um nível profundo você sabe disso. De certo modo, vai apenas tomar consciência de uma realidade existente. O caminho para um estado de consciência mais elevado pode ser facilmente conquistado por meio da prática constante da meditação. Se você seguir o programa com regularidade, poderá transcender os aspectos inferiores de si mesmo e elevar suas vibrações.

Juntamente com a meditação, também acredito que seja benéfico rodear-se de coisas de que você gosta. Eu, por exemplo, amo a natureza, e por isso procuro sempre estar ao ar livre, em contato com coisas que me dão alegria. A Lei Universal de que "os semelhantes se atraem" é a chave para compreender que o ambiente que nos cerca nos influencia de formas profundas e iluminadoras. Regar meu jardim e plantar flores me eleva a um estado de beleza e unidade com o Universo ao meu redor.

Viver com consciência

Por sermos seres pensantes, nossa mente está sempre fazendo algum tipo de comentário, tanto sobre a realidade do mundo externo quanto sobre nosso mundo interior. Tomar plena consciência do momento presente é da mais suma importância. O passado já aconteceu, não há nada que você possa fazer a respeito. Por que então direcionar a "energia de preocupação" para ele? O futuro ainda vai acontecer, por isso, também, procure não se preocupar com ele. A única coisa que você pode controlar é o momento presente. Como diz o professor espiritual e escritor Eckhart Tolle, consciência é "viver no agora". Ao concentrar-se no "agora", você toma plenamente posse de sua realidade externa e interna e se torna mais capaz de fazer escolhas sábias e livres. Reflita por um momento: seus pensamentos, neste exato momento, estão construindo algo positivo para sua experiência de vida? Ou são banais, preconceituosos e prejudiciais para a construção do seu futuro?

Quando passei a me manter atento (e, acredite, precisei praticar todos os dias até que isso se tornasse um hábito), fiquei pasmo ao constatar a incrível quantidade de lixo que saía da minha cabeça. Quando analisei meus pensamentos, percebi que muitos deles eram baseados em insegurança, medo e idéias preconcebidas. Mas eu também tinha muitos pensamentos criativos, imaginativos, cheios de perdão, compaixão e amor. Percebi como eu me deixava facilmente influenciar pela energia dos outros e absorver seus problemas. Quando eu estava com um grupo de pessoas ou em uma determinada situação, fazia pré-julgamentos sobre o que aconteceria, antes de esperar para ver. Isso era especialmente complicado para mim porque, como sou bastante intuitivo, recebo impressões o tempo todo e preciso utilizar muito discernimento para distinguir o que é fruto de minha mente do que chega até mim vindo dos espíritos. Aos poucos fui aprendendo a viver o momento presente sem julgá-lo, e isso me deu um grande alívio e liberdade. Quando começamos a abandonar nossos preconceitos, nossas crenças arraigadas e nossos velhos hábitos, abrimos espaço para a felicidade.

Com freqüência me perguntam se é necessário meditar para chegar a esse estado de consciência. A resposta é: não, mesmo porque sei que muita gente tem dificuldade em meditar. Mas você pode se habituar a agir de maneira muito consciente todos os dias, nas situações comuns que surgem. Procure andar mais lentamente, ou mesmo parar por alguns instantes para examinar o que o cerca. Examine o que lhe passa pela cabeça ante qualquer situação e substitua os pensamentos negativos ou preconceituosos por pensamentos positivos e de maior compreensão ou compaixão. Respire profundamente e tome consciência da inspiração e da expiração. Essas pequenas práticas são transformadoras. Seja persistente para que elas se tornem hábito. Assumir o controle de seus pensamentos lhe trará uma liberdade sem precedentes.

A experiência humana

Na qualidade de seres espirituais, escolhemos voltar à Terra num determinado momento para crescer através de todas as experiências que nos impulsionarão, junto com a raça humana, para evoluir. Quando decidimos voltar a este planeta na qualidade de seres humanos, escolhemos assumir nossas responsabilidades na vida. A condição humana é repleta de contradições e ambigüidades. O *segredo* que vem escapando à humanidade é lembrar de nossa natureza divina. Todo o poder de que precisamos está dentro de nós. Se não nos damos conta de que somos seres espirituais, continuamos negando a verdade. Assim, nos tornamos vítimas das circunstâncias, em vez de agentes criadores do nosso destino.

Quando entramos nessa dimensão humana limitada, fica um pouco difícil determinar com clareza nossa identidade. A maioria de nós olha para fora de si procurando respostas. Nossa tendência é buscar nos outros a confirmação de nosso próprio valor. Mas quem é capaz de nos conhecer melhor do que nós mesmos? Todas as respostas que procuramos estão em nosso coração.

Quando assumimos a forma humana, fechamos a cortina sobre as lembranças de nossas vidas passadas para podermos recomeçar com a consciência limpa. Esse é um momento de graça que nos é dado por Deus. Porque se tivéssemos consciência de nossas vidas passadas, perderíamos um valioso tempo pensando obsessivamente sobre o que fizemos de certo ou de errado em outras vidas, em vez de viver plenamente a atual e evoluir como seres espirituais. A cada nova vida, estamos livres para escolher a realidade que queremos experimentar.

Antes de reencarnar, escolhemos as pessoas e as situações que servem para acelerar o crescimento de nossa alma. Só o mundo material é capaz de nos oferecer tamanha oportunidade de aprender as lições de que precisamos e de nos dar retorno imediato a respeito de nossas ações, erros e realizações.

Tenho enorme respeito e admiração pela cantora de hip-hop Mary J. Blige. Ela é um exemplo notável de como o poder interior é capaz de modificar a realidade. Mary nasceu em um bairro pobre, um lugar cheio de drogas e crime. Um dia, avaliou sua vida e disse para si mesma: "Vou sair daqui e fazer algo de minha vida." Ela conta que orou a Deus (ou, como gosto de dizer, encontrou seu poder espiritual) e assumiu a responsabilidade de alterar sua própria realidade. Foi exatamente o que aconteceu. Mary J. Blige escolheu sair de seu ambiente negativo, não apenas para alcançar o sucesso e mudar a condição de vida de sua família, mas também para ensinar aos outros que isso é possível.

Já constatei repetidas vezes em meu trabalho que o maior arrependimento de grande parte dos espíritos é não ter acreditado em si mesmos quando estavam na Terra. Eles gostariam que alguém lhes tivesse dito que eram almas imensas vivendo experiências humanas limitadas. Se estivessem conscientes desse poder durante sua vida terrena, talvez tivessem confiado mais em si mesmos e vivido de um modo diferente.

Na condição de espírito passando por uma experiência humana, você pode escolher não meramente existir e se deixar levar pelos acontecimentos, mas assumir um papel consciente e responsável na vida e nas suas inúmeras escolhas. Deixar de ser objeto passivo para se tornar agente da própria história.

O poder do pensamento

Tudo começa com um pensamento. O pensamento é vivo e tão sólido quanto uma rocha ou uma peça de mobília. Pensamentos são comunicados por ondas ou vibrações. A materialização física dos pensamentos se dá por meio de palavras. Se as pessoas tomassem consciência da eficácia dos pensamentos, ficariam chocadas. Quando passamos para o mundo espiritual, parte da revisão de nossa vida consiste em testemunhar todos os pensamentos que tivemos durante o período na Terra. Somos considerados responsáveis por esses pensamentos.

Pensamentos abrangentes

Imagine que você está sentado na beira de uma lagoa e joga uma pedra na água. O que acontece? Imediatamente, círculos se formam a partir do local onde a pedra caiu e se irradiam em todas as direções. Pensamentos são como esses círculos na água: eles ressoam na mente dos outros. Quando alguém transmite pensamentos positivos e amorosos, eles são recebidos e, por sua vez, produzem pensamentos amorosos semelhantes. Por outro lado, quando alguém cujo coração está cheio de ódio e inveja transmite pensamentos correspondentes, acaba instigando ódio e inveja no coração e na mente das pessoas.

Quando enviamos pensamentos

O pensamento é vivo. Quando você pensa, é como se estivesse atirando uma bala no campo energético de outra pessoa. Já vi milhares de pessoas chegando aos meus workshops com a aura repleta de detritos psíquicos e de formas de pensamento de membros da família, de amigos, de colegas de trabalho e de vizinhos. Os pensamentos têm força e poder, e devemos aprender a utilizá-los com sabedoria, para o benefício de todos. Com seus pensamentos, você pode construir ou destruir.

Pensamentos positivos

Um exemplo maravilhoso de como utilizar seus pensamentos de forma positiva e amorosa ocorre quando você envia preces de cura para outros. Preces e pensamentos de cura são sussurros de amor incondicional dirigidos a alguém, com o intuito de provocar uma reação positiva. Nos meus grupos de meditação, dirijo energia positiva para todos no recinto. É incrível ver como as pessoas se sentem diferentes depois da meditação. Elas ficam mais abertas e amorosas.

Pensamentos negativos

O mesmo se aplica à utilização da força criativa de formas negativas. Pragas são exemplos de envio de pensamentos negativos. Uma praga vai até uma pessoa ou um lugar com toda a negatividade emocional que há por trás dela e se apega àquela pessoa ou lugar. Também pode servir de combustível para reforçar a negatividade que já existe na pessoa ou no lugar. É importante notar que se você envia pensamentos negativos, recebe de volta aquilo que criou.

A intenção do pensamento

Uma intenção dá direção ao pensamento. Você define aquilo que deseja criar com seus pensamentos. Para conseguir o máximo de benefício com suas intenções, você deve fazer com que elas sejam extremamente específicas e claras. Não deve deixar espaço algum para generalidades. Deve manifestar seu pensamento no mundo material exatamente como o criou, sem abrir mão dos detalhes. Talvez você se surpreenda com o que vai conseguir alcançar ao proceder dessa maneira. Imagine que está construindo uma casa. Você pensa na casa, na disposição dos cômodos, no tamanho, no local. Todas essas intenções colocam o seu pensamento mais próximo da manifestação. Como construir a casa sem antes pensar nela com uma intenção precisa e detalhada?

A força do pensamento

Lembre-se de que você é um indivíduo criativo e que pode fazer acontecer qualquer coisa em que concentre sua mente. É incrível como isso funciona. Se você deseja de fato alguma coisa, primeiro é preciso pensar nela, colocar sua intenção por trás dela e manter a concentração nesse objetivo. É mais ou menos como fazer um bolo. O pensamento está no forno, mas você tem que continuar a assá-lo com sua crença. Você tem que ver seu pensamento se manifestando e se tornando real. Os ingredientes, ou itens específicos de seus pensamentos, ajudam a esclarecer e a acelerar essa manifestação.

Emoções são necessárias

Quanto mais emoção você colocar nos seus pensamentos, mais poder eles terão para se manifestar. Emoção é a energia extra necessária para impulsionar seus pensamentos para a realidade concreta. Como você se sente do ponto de vista emocional quando visualiza seus pensamentos se tornando realidade? As crianças brincam de faz-de-conta, mas vivem a brincadeira como se fosse verdade. Você deve brincar de faz-de-conta para que seus sonhos se realizem. Você tem o direito de viver feliz e com um propósito, e isso começa com as escolhas espirituais certas. Afinal, você carregará para a próxima vida tudo o que fizer na atual.

O poder do medo

O medo é provavelmente a energia negativa mais poderosa que nós temos. Ele possui força para emaranhar mentes e até mesmo para estagnar a vida. Eu sempre utilizo o seguinte exemplo nos meus workshops: a vida consiste em uma série de escolhas. Cada escolha reflete uma crença baseada em quem nós somos, como queremos viver e como queremos ser percebidos. Se escolhermos amar, estaremos usando a energia natural da vida. Se escolhermos o medo, estaremos operando em um estado antinatural. O amor é a energia que une todas as coisas. O medo separa.

Examine um período específico da sua vida em que você precisou fazer uma escolha muito importante (como casar-se, divorciar-se, mudar de casa, trocar de carreira ou ter filhos). Como foi feita a sua escolha? Ela se baseou no que esperavam de você ou você realmente amava o que decidiu fazer? Em outras palavras: suas escolhas foram determinadas pelo medo ou pelo amor? Muitos fazem certas escolhas motivados pelo que os outros esperam deles. Como desejamos ser amados por nossos entes queridos e aceitos na sociedade, violentamos nosso desejo natural e deixamos de fazer o que nosso espírito realmente deseja.

Se você descobrir que tomou decisões motivadas pelo medo, saiba que não é possível ser feliz assim. O medo normalmente faz com que tudo se desequilibre: as coisas não parecem se encaixar e você se sente deslocado. Talvez até sinta que está desperdiçando uma grande parte da sua vida. A energia do medo paralisa. Quando examino o corpo de alguém por meio da clarividência e percebo que a pessoa tem energia de medo, sinto que a força vital do corpo se movimenta com lentidão e às vezes chega a parar. O oposto também é verdadeiro. O amor faz com que a energia circule livremente pelo corpo. Quando você escolhe o amor, fica feliz.

Percebo que quando as pessoas tomam decisões importantes com base no medo, ele penetra em todos os aspectos de suas vidas. Essas pessoas têm o que costumo chamar de "vidas baseadas no medo", o que significa que todos os seus pensamentos e suas perspectivas de vida são de medo e de inadequação.

Volto a repetir: todo pensamento é baseado no amor ou no medo. Quando a sua energia é baseada no medo, você atrai outras pessoas do mesmo nível. Assim, nada será honesto em sua vida e aqueles que você atrair não serão pessoas realizadas.

Apesar de às vezes uma solução baseada no medo parecer mais fácil, ela será acompanhada de uma dor e de um sofrimento que só lhe farão mal.

Desde cedo, quase todos nós fizemos escolhas a partir do desejo e das crenças de nossos pais. Muitas vezes continuamos assim no correr da vida, até tomarmos consciência do nosso próprio desejo e das escolhas e decisões a que eles nos levam.

Será que todo medo é ruim? Com certeza, não. Há o medo saudável e o medo doentio. Se estou dirigindo em uma estrada e percebo que o motorista à minha frente está se movendo em ziguezague, eu me afasto dele por medo de que ele perca o controle e bata em mim. Este é um medo saudável, porque me leva a proteger minha vida. O medo doentio é provocado por fantasias ou pela obsessão em relação a coisas que não podemos controlar. São medos que paralisam e que impedem nosso crescimento.

É importante lembrar que espíritos presos à Terra, assim como os humanos mais atrasados, vivem da sua energia de medo. Quanto mais medo você manifestar, mais vida dará a eles.

Antes de tomar qualquer decisão, pare e reflita: estou sendo movido pelo amor ou pelo medo?

O poder do amor

A energia do amor é a força mais poderosa e natural do universo. O amor mantém todas as coisas unidas e permeia tudo. O amor cura, ilumina e constrói. Posso afirmar com convicção que é o único elemento que transcende a morte. Muitas vezes, as pessoas me perguntam: "Os espíritos sabem quando estou pensando neles?"

A resposta é sempre: "Sabem, sim!" Mas o mais importante é que os espíritos sentem o amor que você tem por eles. É essa força que une as almas ao longo das vidas. A principal razão pela qual faço meu trabalho é para demonstrar que o amor nunca morre.

Quando estiver se comunicando com espíritos ou limpando casas mal-assombradas, mantenha seu foco no amor. Ele pode mudar imediatamente um espírito desgarrado ou a energia estagnada. A vibração de amor acelera tudo e traz para um nível mais elevado de consciência. É interessante constatar que, devido às limitações do mundo material, sempre que trago uma mensagem de amor de um espírito, só consigo transmitir um décimo do sentimento total.

Para muitas pessoas, o amor é difícil de reconhecer e aceitar. Parece-lhes algo estranho. Será que essa dificuldade vem da forma como foram criadas? Sim, possivelmente, mas vários outros fatores podem estar envolvidos.

Quando trabalho com pessoas que não amam a si mesmas, faço alguns exercícios que parecem lhes dar uma compreensão completamente nova a respeito de quem são. Começo fazendo perguntas sobre algo que elas adoram fazer. Vamos imaginar, por exemplo, que meu cliente seja uma mulher que gosta de comprar um vestido novo de vez em quando. Peço que visualize a si mesma experimentando a roupa e se olhando no espelho. Pergunto a ela:

– Como o vestido faz você se sentir?

Ajudo-a a se conectar a esse sentimento e a analisá-lo, até darlhe um nome. Então peço-lhe que liste os atributos pessoais que provocam nela aquele mesmo sentimento e digo-lhe para repassar a lista todos os dias, sempre acrescentando novos itens. Depois de uma semana examinando todos os dias os atributos que lhe dão essa sensação maravilhosa, a mulher terá alcançado uma nova consciência de si mesma.

Outro exercício muito eficaz que já utilizei com meus clientes é fazer com que escrevam em um pedaço de papel “Eu te amo [acrescentar seu próprio nome]” e o colem no espelho do banheiro. Peço-lhes para repetir essa afirmação em voz alta três vezes de manhã e três vezes à noite. Ocorre um efeito de cura muito singular quando dirigimos amor para nós mesmos. Esse exercício também dá àqueles que o praticam uma aguda noção de auto-estima e auto-apreciação.

Quando amamos incondicionalmente, utilizamos a energia em sua forma mais elevada. Quando amamos sem regras ou restrições e aceitamos algo ou alguém como ele é, o amor pode crescer e se desenvolver.

Penso freqüentemente nas religiões e etnias que existem no mundo. Parece que Deus, ou o Universo, criou os seres humanos de uma forma maravilhosa, como se fossem as facetas de um diamante: cada faceta é diferente, mas, juntas, formam um diamante brilhante e lindo. É essa singularidade de cada faceta que faz a beleza do diamante. Todas as crenças são belas em sua sabedoria. Nenhuma é melhor do que outra. Isso é apenas uma ilusão do mundo físico. Só quando formos capazes de celebrar nossa diversidade e amar uns aos outros incondicionalmente teremos a verdadeira paz em nosso planeta. Como ainda não aprendemos a amar, continuamos matando nossa própria espécie. Isso coloca a Terra em um nível muito baixo na escala da evolução espiritual.

O melhor que cada um de nós pode fazer é demonstrar amor sempre que possível. Se um número cada vez maior de pessoas emanar amor, essa energia irá permear a ignorância e as trevas dos seres perdidos em sua mentalidade limitada. A energia do amor será capaz de alcançá-los até mesmo no meio da escuridão em que se encontram. Talvez os vivos possam aprender com os mortos e perceber que o divino ingrediente do amor é capaz de nos libertar das trevas. Quando isso acontecer, seremos capazes de dar início à retomada da compreensão em um mundo físico iluminado pela luz celestial.

AGRADECIMENTOS

BBB – Eu não sabia qual era o significado da vida até você me mostrar como amar.

Linda Tomchin – Obrigado por dar voz aos espíritos.

Sam – Que compreende as coisas à sua própria maneira.

A "Garotada" – Fico orgulhoso de poder chamá-los de meus filhos. Vivam, amem e prosperem!

Cammy Farone – São admiráveis sua dedicação incansável ao site e a ajuda que dá para que as pessoas se livrem da dor.

Bernadette – Você é mesmo um anjo que cura. Obrigado por compartilhar sua gentileza e compaixão.

Ruth – Você é o verdadeiro significado da família. Obrigado por fazer parte da minha.

Christian – Você é demais! Obrigado pela amizade, pelas risadas e pelo amor.

Joerdie Fisher – Mãe, obrigado por viver a sua verdade e dar coragem aos outros para olhar para dentro e encontrar a deles.

Marilyn Jensen – Bênçãos à minha primeira e única Estrela de Rubi.

Peter Redgrove – Obrigado por compartilhar cada passo dessa jornada terrena. Um dia vamos olhar para trás lá do outro lado e saber que valeu a pena.

Mary Ann Saxon – Sinto-me abençoado por poder chamá-la de amiga verdadeira e sincera.

Cindy Schacher – Com todo o seu amor, apoio e brilho, você parece a fada Sininho.

Mary Ann Winkowski – Você é e sempre será minha caça-espíritos preferida. Obrigado por manter os pés no chão enquanto outros se perdem no espaço.

Scott Schwimer – Obrigado por sempre estar de prontidão ao longo dos anos. Sinto-me abençoado por conhecê-lo.

Gideon Weil – Os céus devem ter mandado você aqui. Você é o melhor editor que qualquer autor jamais poderia ter. Obrigado por todo o incentivo.

A todos os espíritos que encontrei na Terra – A gente se vê quando eu for para o céu.

Sobre o autor

JAMES VAN PRAAGH é considerado pioneiro do movimento mediúnico em todo o mundo. Ele foi reconhecido como um dos médiuns mais precisos em atividade hoje. É muito elogiado como palestrante, escritor e produtor, além de ter um tipo único de intuição.

O autor já chegou ao topo da lista dos livros mais vendidos do jornal *The New York Times* com os títulos *Conversando com os espíritos, Em busca da espiritualidade, A força da vida, O despertar da intuição, Looking Beyond* (Vendo além) *e Meditations* (Meditações). Seus livros contam com excelente recepção no exterior e já foram traduzidos para mais de 25 idiomas em 30 países. Van Praagh também é convidado recorrente do programa *Larry King Live*, da CNN, e já compartilhou seus amplos conhecimentos em diversos programas e especiais de rádio e televisão nos EUA, entre eles *Ophra, Unsolved Mysteries, The Other Side, Paranormal Borderline, 20/20, 48 Hours, Maury, The O'Reilly Factor, Possessed Possession, John Edward Cross Country, Coast to Coast, Chelsea Lately, We See Dead People* (do canal A&E) e muitos outros. Foi correspondente contribuinte do *Entertainment Tonight* e do *The Insider*, além de apresentar seu próprio programa com distribuição internacional, *Beyond with James Van Praagh*. Ele também trabalha como produtor de sucesso para a rede CBS: criou a minissérie *Living with the Dead*, baseada em sua vida, e *Quando os mortos falam*, estrelado por Eva Langoria e Anne Heche.

Atualmente, é co-produtor executivo do seriado mais aclamado da CBS, *The Ghost Whisperer*, estrelado por Jennifer Love Hewitt. Suas incríveis mensagens espirituais e meditações já trouxeram conforto, paz e percepção espiritual a milhões de pessoas. Ele também é muito requisitado como orador: faz palestras, seminários e workshops de treinamento, sempre com lotação esgotada, por todo o mundo. Visite o site (em inglês) do autor: www.vanpraagh.com.

CONHEÇA OUTROS TÍTULOS DO AUTOR

CONVERSANDO COM OS ESPÍRITOS

Com a rara habilidade de interligar o mundo físico e o espiritual, James Van Praagh proporciona imenso conforto àqueles que perderam seus entes queridos, trazendo mensagens inspiradoras e desvendando os mistérios da vida após a morte.

Em *Conversando com os espíritos*, você conhecerá histórias de pessoas que, com a ajuda do autor, conseguiram fazer contato com parentes mortos e deram novos rumos a suas vidas – como a mãe que ouviu do filho um pedido de desculpas pelo próprio suicídio e o reencontro de um homem com sua esposa falecida, no qüinquagésimo aniversário de casamento.

Além de surpreendentes relatos como esses, Van Praagh conta a sua jornada em busca do autoconhecimento. Ainda na juventude, ele descobriu a capacidade de se comunicar com os mortos. Aqui ele revela como conseguiu aperfeiçoar seus dons para dar início à carreira de médium.

Com ensinamentos e depoimentos comoventes, o autor nos ajuda a lidar com a dor da perda, ensinando técnicas para desenvolver o sexto sentido, conhecer nossos espíritos-guias e identificar os sinais que vêm do outro lado.

Abra seu coração e deixe este livro mudar para sempre a sua maneira de encarar a vida – e a morte.

Em busca da espiritualidade

Autor de *Conversando com os espíritos*, com mais de 1,5 milhão de exemplares vendidos, James Van Praagh nos leva agora a uma viagem da alma através do tempo.

Em busca da espiritualidade revela os mistérios do mundo espiritual e do processo de reencarnação, mostrando o que acontece na morte e como a alma escolhe o seu renascer.

Reunindo histórias verdadeiras de comunicação após a morte, Van Praagh oferece as chaves para promover nosso crescimento espiritual e de nossos filhos.

Esses tocantes relatos demonstram que até mesmo as cicatrizes emocionais podem ser curadas e que somos capazes de redescobrir nossa natureza espiritual, alcançando a autoconsciência e elevando a auto-estima.

Nesse livro inspirador e poderoso, Van Praagh ensina exercícios e meditações para nos ajudar a manter o equilíbrio e transformar a vida em uma existência de força, alegria e amor. *Em busca da espiritualidade* é uma celebração da nossa própria divindade.

CONHEÇA OS 50 CLÁSSICOS DA EDITORA SEXTANTE

Espiritualidade/Inspiração

Muitas vidas, muitos mestres, de Brian Weiss

Muitas vidas, uma só alma, de Brian Weiss

Jesus, o maior psicólogo que já existiu, de Mark W. Baker

Conversando com os espíritos, de James Van Praagh

A última grande lição, de Mitch Albom

Uma ética para o novo milênio, de Sua Santidade, o Dalai-Lama

A arte da meditação, de Daniel Goleman

O Mestre dos Mestres (*Coleção Análise da Inteligência de Cristo*), de Augusto Cury

Espiritualidade, um caminho de transformação, de Leonardo Boff

Autobiografia de um iogue, de Paramahansa Yogananda

O Poder do Agora, de Eckhart Tolle

Negócios

O monge e o executivo, de James C. Hunter

Como se tornar um líder servidor, de James C. Hunter

Jesus, o maior líder que já existiu, de Laurie Beth Jones

Faça o que tem de ser feito, de Bob Nelson

Seu balde está cheio?, de Tom Rath e Donald O. Clifton

A hora da verdade, de Jan Carlzon

A Boa Sorte, de Álex Rovira Celma e Fernando Trías de Bes

Você é mais capaz do que pensa, de John G. Miller

Seis fundamentos do sucesso profissional, de Stuart R. Levine

Ficção

O Código Da Vinci, de Dan Brown

Ponto de Impacto, de Dan Brown

Anjos e Demônios, de Dan Brown

Fortaleza Digital, de Dan Brown

As cinco pessoas que você encontra no céu, de Mitch Albom

Livros de bolso

Dez leis para ser feliz, de Augusto Cury

Seja líder de si mesmo, de Augusto Cury

Você é insubstituível, de Augusto Cury

Palavras de sabedoria, de Sua Santidade, o Dalai-Lama

A vida é bela, de Dominique Glocheux

Filtro solar, de Mary Schmich

Posso conseguir o que desejo, de Iyanla Vanzant

Quem acredita sempre alcança, de Peter McWilliams

Auto-ajuda

O método fácil de parar de fumar, de Allen Carr

Por que os homens fazem sexo e as mulheres fazem amor?, de Allan e Barbara Pease

Desvendando os segredos da linguagem corporal, de Allan e Barbara Pease

Por que os homens mentem e as mulheres choram?, de Allan e Barbara Pease

O poder que vem do seu nome, de Aparecida Liberato e Beto Junqueyra

Nunca desista de seus sonhos, de Augusto Cury

Pais brilhantes, professores fascinantes, de Augusto Cury

100 segredos dos bons relacionamentos, de David Niven

Não leve a vida tão a sério, de Hugh Prather

Mantenha o seu cérebro vivo, de Laurence Katz e Manning Rubin

100 segredos das pessoas felizes, de David Niven

Enquanto o amor não vem, de Iyanla Vanzant

A Dieta do Abdômen, de David Zinczenko e Ted Spiker

A Dieta de South Beach, de Arthur Agatston

O poder da paciência, de M. J. Ryan

Referência

1.000 lugares para conhecer antes de morrer, de Patricia Schultz

O ócio criativo, de Domenico De Masi

INFORMAÇÕES SOBRE OS PRÓXIMOS LANÇAMENTOS

Para receber informações sobre os lançamentos da Editora Sextante, basta enviar um e-mail para atendimento@esextante.com.br ou cadastrar-se diretamente no site www.sextante.com.br

Para saber mais sobre nossos títulos e autores, e enviar seus comentários sobre este livro, visite o nosso site: www.sextante.com.br

Editora Sextante
Rua Voluntários da Pátria, 45 / 1.404 – Botafogo
Rio de Janeiro – RJ – 22270-000 – Brasil
Telefone: (21) 2286-9944 – Fax: (21) 2286-9244
E-mail: atendimento@esextante.com.br